La dieta Shangri-La

**Un método eficaz que le hará perder
peso reduciendo su apetito**

books4pocket

Seth Roberts

La dieta Shangri-La

Un método eficaz que le hará perder peso reduciendo su apetito

Traducción de Alicia Sánchez Millet

EDICIONES URANO

Argentina - Chile - Colombia - España
Estados Unidos - México - Perú - Uruguay - Venezuela

Título original: *The Shangri-La Diet*
Copyright © 2006 by Seth Roberts, Ph. D.

© de la traducción: Alicia Sánchez Millet
© 2007 by Ediciones Urano, S.A.
     Aribau, 142, pral. – 08036 Barcelona
     www.edicionesurano.com
     www.books4pocket.com

1ª edición en books4pocket enero 2013

Impreso por Novoprint, S.A.
Energía 53
Sant Andreu de la Barca (Barcelona)

Fotocomposición: **books4pocket**

ISBN: 978-84-15139-94-2
Depósito legal: B-16.260-2013

Código Bic: VS
Código Bisac: HEA017000

Impreso en España – *Printed in Spain*

*A los investigadores
de aprendizaje-animal de todo el mundo*

Índice

Que reúnan toda clase de alimentos
durante los siete años buenos...
Estos víveres servirán de reserva
para los siete años de hambre que vendrán después.

Génesis 41, 35-36

Curiosamente, la pantagruélica cena de la noche anterior,
que debería haberme durado una semana,
me produjo más hambre de lo habitual.

Nancy Mitford, *Love in a Cold Climate*[1]

Introducción

¿Shangri-La? Extraño nombre para una dieta. Quizá más apropiado para un balneario. En parte lo escogí porque la comunidad imaginaria del Himalaya de James Hilton era un lugar de gran paz y tranquilidad; y esta dieta ayuda a las personas a hacer las paces con la comida. A los pocos días suelen desaparecer todo tipo de luchas relacionadas con la comida (deseos irresistibles, demasiados pensamientos relacionados con la comida, comer compulsivamente por la noche). (Véase «En Shangri-La», págs. 101-107, para los ejemplos.) Otra razón para ponerle este nombre es que Shangri-La era sinónimo de un lugar casi perfecto, y —no lo digo para alardear— ésta es una dieta que tiene muchas ventajas. Es sencilla, potente y no se pasa hambre. Es casi tan sencilla como tomarse una pastilla, y cien veces más segura y más barata. También me gustó la idea de bautizar la dieta con un nombre imaginario. Los lugares imaginarios están llenos de novedades y esperanzas (pensemos en *Alicia en el país de las maravillas* o en Harry Potter). No hay peligro en tomar prestado algo de eso.

Los artículos que aparecieron en los blogs mientras estaba escribiendo este libro (véase «La Blogosfera hace la prueba», páginas 124-132) me han reconfirmado mi elección del nombre.

«La semana pasada un vecino me dio un trozo de tarta de chocolate y se echó a perder. Me olvidé de que lo tenía —escribió una persona que seguía la dieta—. Insólito.» Muchas personas que siguen esta dieta han demostrado su felicidad y asombro. «Ridículamente sencilla, barata y eficaz. ¡Qué regalo de Dios!», escribió uno de ellos. «Yo apenas me lo podía creer», escribió otro respondiendo al escepticismo, alguien a quien la dieta le había funcionado. Era un poco como poder ver el futuro: una visión fugaz de la acogida que tendría la dieta.

¿Cómo ha llegado a existir esta dieta tan insólita? Creo que mi arma secreta ha sido que he utilizado tres métodos de investigación que no se habían combinado antes. Uno ha sido mi formación científica, que me ha ayudado a comprender la bibliografía importante que existe sobre este tema. Otro ha sido la autoexperimentación: quería perder peso y probé muchas formas de hacerlo. El tercer método fue jugar a ser reportero: llamar a expertos en control del peso y preguntarles sobre sus investigaciones. (Cuando escribía para la revista *Spy*,[2] me di cuenta de que de este modo los expertos eran accesibles.) Ninguno de estos métodos por separado es inusual, pero rara vez se han combinado, si es que eso ha llegado a suceder. Por ejemplo, millones de personas prueban varias formas de perder peso, pero pocos investigadores sobre la obesidad experimentan (o al menos no lo mencionan) con ellos mismos, porque eso no tiene buena fama. Dado que yo he estudiado la pérdida de peso de una forma novedosa, también es más comprensible que llegue a conclusiones sorprendentes.

Después de hablar con un joven científico, Niels Bohr, el físico danés, le dijo: «Todos estamos de acuerdo en que tu teoría es una locura. La cuestión que nos divide es si es lo bastante descabellada como para que exista la oportunidad de que sea correcta». Eso fue una forma bastante llamativa de expresarlo. En el ensayo *Física atómica y conocimiento humano*, Bohr fue más austero. «El objetivo común de toda ciencia —escribió— es la eliminación gradual de todos los prejuicios.»[3] Otra forma de decir lo mismo: la verdad (es decir, la buena ciencia) puede parecer descabellada al principio porque no encaja en nuestra visión de cómo han de ser las cosas.

Todo el mundo estará de acuerdo en que la dieta Shangri-La contradice los puntos de vista aceptados sobre cómo perder peso. En la década de 1980, el mantra era *come menos grasas*. Se empezó a ofrecer a los consumidores pizzas bajas en grasas, galletas bajas en grasas, todo bajo en grasa. La dieta Shangri-La te dice que puedes perder peso consumiendo *más* grasa (en forma de aceites sin sabor). En la década de 1990, el mantra era *come menos hidratos de carbono*. La dieta Shangri-La te dice que puedes perder peso tomando *más* azúcar, el peor de los hidratos de carbono. Si Niels Bohr quisiera adelgazar, me gustaría pensar que haría la prueba.

1. Por qué una caloría no es una caloría

Uno de los muchachos le dijo al otro:
«Lo que no entiendo es por qué, si una chica se come
medio kilo de dulces, engorda cinco kilos».[4]

The Daily Californian

El novelista Vladimir Nabokov acuñó el término de la *verdad del donut* para querer decir «sólo la verdad y toda la verdad, con un agujero en [el centro de] la verdad».[5] Ésta es una buena descripción de lo que nos han contado los expertos sobre adelgazar. Lo que nos han dicho no es del todo incorrecto, pero sí gravemente incompleto, y la información que falta es de suma importancia para perder peso con facilidad y comodidad. La dieta Shangri-La te permite hacerlo porque se basa en la verdad completa, incluido ese agujero que nos habíamos dejado antes.

Probablemente habrás oído la frase de *una caloría es una caloría*. Los médicos suelen decírsela a sus pacientes. Los expertos en el control del peso se la dicen a los periodistas. *Una caloría es una caloría* plasma la creencia común de que la única forma de perder peso es comiendo menos calorías de las que quemas. (El valor calórico de un alimento indica cuánta energía extraes cuando lo digieres. Como el kilometraje de los coches nuevos, los valores calóricos de los alimentos se miden bajo condiciones no realistas, pero al igual que los kilometrajes de los coches, sirven para comparar.) Según esta idea, si una dieta en particular tiene éxito es porque has comido menos calorías. Los expertos de la teoría de *una caloría es una caloría* dicen que para perder peso has de dejar reposar el tenedor. Haz lo que tengas que hacer, pero come menos. «Todo debería ser del tamaño de una ración», dijo Marion Nestle, profesora de nutrición de la Universidad de Nueva York en una entrevista de radio.[6] Todo aquel que diga lo contrario, que diga que dos alimentos con el mismo número de calorías pueden tener efectos muy distintos sobre nuestro peso, bueno, es que esa persona está... confundida.

Sí que es cierto que para adelgazar has de comer menos o quemar más, pero *no es* cierto que sea tan difícil. Ni siquiera es cierto que para perder peso tengas que *intentar* comer menos. De hecho, puedes adelgazar comiendo más de algunos alimentos, y este libro te explica cómo. Añadirás alimentos a tu dieta y no tendrás que dejar de comer de nada. A menos que quieras perder mucho peso (es decir, 70 kilos o más), puede que ni siquiera tengas que hacer grandes cambios en tu forma de comer.

La dieta Shangri-La es tan distinta de las anteriores y de lo que has oído hasta ahora sobre adelgazar porque se basa en una nueva teoría del control del peso, una teoría respaldada por pruebas científicas.

• • •

Más es más fácil que menos

Las primeras dietas para perder peso exigían que *restaras*: menos calorías comiendo menos. Esta fórmula funcionaba tan rara vez (¡todo el mundo tenía hambre!) que tuvieron que cambiar el mensaje. Éste se transformó en: *come menos grasas*. Come menos helados, mantequilla, patatas fritas, hamburguesas y otros alimentos altos en grasas, decían los expertos, y te librarás de esos kilos de más no deseados. Este consejo tampoco funcionó demasiado bien.

Posteriormente, el mensaje se transformó en: *come menos hidratos de carbono*. Evita casi todos los hidratos de carbono (Atkins), o evita los hidratos de carbono «malos» (Protein Power, Sugarbusters, South Beach), nos dijeron, y estarás más sano y delgado. El pan, la pasta, hasta las manzanas y los plátanos estaban prohibidos. Las dietas bajas en hidratos de carbono funcionan moderadamente bien, pero no son fáciles de seguir («Me cansé del pollo y los huevos», me dijo un amigo) y rara vez producen la pérdida de peso que desea la persona que la sigue.

Con la dieta Shangri-La la pérdida de peso se produce porque *añades*: añades ciertos alimentos a lo que comes. Estos alimentos te proporcionan sensación de plenitud y de estar satisfecho con mayor facilidad; el resultado es que, en general, comes menos y pierdes peso. Los alimentos que añadirás son seguros, baratos y fáciles de encontrar. No tienes que privarte de nada. No has de *intentar* comer menos de nada o prestar mucha atención a la cantidad de comes.

* * *

La verdad que conoces

La dieta Shangri-La es diferente de las demás dietas porque se basa en ideas nuevas. Una de ellas es que lo que comes afecta a tu peso de dos formas: una es lo que ya sabes, y la otra es el agujero que falta en la verdad de todos los regímenes.

Lo que ya sabes es que el exceso de calorías se convierte en grasa. Te han dicho muchas veces que tu peso depende de cuánto comes. Si comes más, pesas más. Es cierto que nuestro cuerpo extrae la energía (calorías) de la comida que ingerimos, y si consumimos más energía de la que gastamos, el exceso se almacena en forma de grasa. Desde esta perspectiva, es cierto que una caloría es una caloría. No importa de dónde venga el exceso de energía (calorías), acabará convirtiéndose en grasa. En lo que al almacenamiento de grasa se refiere, un exceso de 100 calorías por comer zanahorias crudas tendrá el mismo efecto que 100 calorías por comer una tarta de plátano con nata. También es cierto que para perder peso (grasa) has de quemar más calorías de las que comes. Todo esto es cierto, pero es la verdad del donut.

La verdad que falta

Esto es lo que no te han dicho: la comida también influye en tu peso al influir en lo que se denomina tu *set point* de peso corporal, término prestado del sector técnico. Los investigadores del control de peso lo han utilizado para hablar del peso que «quiere» tu cuerpo, del peso que tienes cuando no le prestas atención a cuánta comida estás tomando. Tu *set point*, o «punto de referencia», o «punto límite», puede ser bastante más elevado que el peso que tú eliges o que el peso que es saludable para ti. A pesar de su nombre, el *set point* no es fijo ni constante. No es tu «peso natural», un número mágico invariable. Por el contrario, tu *set point* sube y baja, y en parte lo hace como respuesta a lo que comes.

Alterando tu apetito y lo pronto que te sientes satisfecho al comer, el sistema de regulación de tu peso corporal conduce a tu peso cerca del *set point*. Tu *set point* de peso corporal es como la temperatura de un termostato. Por ejemplo, pongo el termostato de la calefacción de mi casa a 20°. El sistema «quiere» mantener esa temperatura en todo momento. Si la temperatura desciende, el sistema conecta la caldera, que calentará la casa. Cuando la temperatura ambiente alcanza la temperatura prefijada, la caldera se apaga.

El sistema de regulación del peso actúa de forma similar. Pongamos, por ejemplo, que tu *set point* de peso corporal es de 80 kilos. Si pesas *menos* de 80 kilos, tendrás hambre y pensarás en comer. Cuanto mayor sea la distancia entre tu *set point* y tu peso, más hambre tendrás, más pensarás en comer y más comida necesitarás para sentirte lleno. Es casi imposible pesar mucho menos que tu *set point* durante mucho tiempo: el hambre se vuelve casi insoportable.

Si pesas más que tu *set point* de 80 kilos, no tendrás hambre y no pensarás tanto en comer. Cuando comas, te llenarás enseguida. (Véase la tabla para más detalles.)

El nivel de tu *set point* depende de todo lo que has comido en los últimos meses. Algunos alimentos son alimentos con un *set point* alto; si sólo tomas ese tipo de alimentos, tu *set point* será alto. Otros alimentos tienen un *set point* bajo; si sólo tomas estos alimentos, tu *set point* será bajo. (En los siguientes capítulos explicaré la razón.) Otros alimentos están en el centro. Tu *set point* depende de la *media* de lo que has comido en los últimos meses. Cuando tomas un alimento que es bajo para ti (más bajo que tu media), tu *set point* desciende ligeramente. Cuando tomas un alimento que es alto para ti (más alto que tu media), tu *set point* aumenta ligeramente.

¿Cuál es mi *set point*?

Si [te] sientes...	tu *set point* es...
Hambre voraz. No puedes dejar de pensar en comida. Sueñas con comida. No te llena nada, ni siquiera una gran comilona. Infeliz.	Tu peso más algunos kilos.
Hambre. Siempre comerías algo. Piensas en comida cada pocos minutos.	Tu peso más medio kilo o un kilo.
Cómodo. Tienes hambre a veces. A la hora de comer, la comida te apetece. Comes cantidades moderadas.	Te acercas a tu peso.
Satisfecho después de una comida. Te olvidas de comer. No tienes hambre hasta que empiezas a comer.	Tu peso menos medio kilo o un kilo.
Empachado. Sientes que no comerías en días. ¿Tus alimentos favoritos? No, gracias. Nunca tienes hambre	Tu peso menos varios kilos.

Cuando un alimento baja tu *set point*, tendrás menos hambre de lo habitual. Podrás esperar más para realizar tu próxima comida, y por ti comerías menos de lo normal cuando la hagas. Cuando la comida aumenta tu *set point*, después de comer tienes más hambre de lo normal, por ti adelantarías la próxima ingesta, y comerías más que lo normal. La cita de Nancy Mitford en *Love in a Cold Climate* que está al comienzo de este libro es un ejemplo: la cena había subido el *set point* del personaje. Le había producido más «hambre de lo habitual» en las últimas comidas.

Elevando o bajando tu *set point*, cada comida controla cuánto comerás *después*, y cuánto comerás de *otros* alimentos. Una caja de bombones de medio kilo puede aumentar tu peso en no más de medio kilo. Pero si aumenta tu *set point* en 5 kilos, hará que comas más de *otros* alimentos, lo suficiente como para aumentar tu peso en 5 kilos. Tu cuerpo siempre intentará que tu peso coincida con tu *set point*.

Las dietas y tu *set point*

Las dietas no son sólo para perder peso, también son para tu estado anímico. Si pierdes peso, pero siempre tienes hambre, la dieta no tendrá éxito. Es muy probable que vuelvas a ganar ese peso, tarde o temprano, a fin de acallar tu hambre. Ésa es la razón por la que el mero hecho de comer menos no funciona durante mucho tiempo. Adelgazas, es cierto, pero tienes más hambre. El hambre va en aumento, y al final se vuelve insoportable.

Cuando las dietas reducen tu peso sin bajar tu *set point*, producen hambre. *La clave para perder peso con éxito es bajar tu set point.* Cuando bajas tu *set point,* pierdes peso sin esfuerzo.

La dieta Shangri-La baja tu *set point* porque comes *más* de ciertos alimentos, alimentos con *set point* cero. Estos alimentos son tan potentes que bajarán tu *set point* esté donde esté. Como tu *set point* descenderá, no tendrás tanta hambre, comerás menos de lo habitual y perderás peso, sin hacer ningún esfuerzo y sin eliminar nada de tu dieta.

Tu set point *(continuación)*

Volvamos a la analogía del termostato para entender mejor el *set point.* Un sistema de calefacción con termostato tiene una temperatura de referencia: la temperatura en la que se fija el termostato. Del mismo modo que esta temperatura de referencia es variable (puedo ponerla a 20º, a 18º, etc.), también lo es el *set point* de tu peso corporal.

En resumen, el termostato de tu casa y tu sistema de regulación de peso corporal son muy similares. Ambos tienen un *set point.* Ambos tienen un *set point variable.*

Existen importantes diferencias:

- Puedes cambiar rápidamente el *set point* de tu termostato mediante un botón. En cambio, el de tu peso corporal cambia lentamente; por lo general no varía más de 1 o 2 kilos a la semana.

- El *set point* de tu peso corporal está diseñado para ser sensible al precio de la energía (calorías). Cuando la energía es barata, es decir, cuando las calorías son abundantes, el *set point* de tu peso corporal aumenta. Hace cientos de miles de años, cuando evolucionó nuestro sistema de regulación del peso corporal, esta estrategia era lógica. La comida solía escasear, de modo que, cuando abundaba, era lógico comer más de la cuenta y almacenar el excedente en forma de grasa. Cuando la comida escaseaba, se utilizaba la energía almacenada y se adelgazaba. No obstante, nuestras condiciones de vida actuales han cambiado drásticamente respecto a hace miles de años. Ahora siempre tenemos comida. Por consiguiente, este mecanismo de almacenaje y de gasto ya no funciona correctamente. Nuestro sistema decide (correctamente) que hay suficiente comida y por lo tanto eleva nuestro *set point* para aumentar la cantidad de energía que has almacenado, pero los años de escasez no llegan nunca. La dieta Shangri-La engaña a nuestro sistema haciéndole pensar que *escasea* la comida, resolviendo así el problema. El termostato de la caldera de tu casa es más sencillo: no tiene en cuenta el precio de la energía (electricidad, gas natural, gasoil). No es sensible a las condiciones exteriores.

- La mayoría de los termostatos son o «todo o nada». O la fuente de calor está encendida (cuando la temperatura es inferior a la temperatura de referencia) o está apagada (cuando no es así). Por el contrario, nuestro sistema de regulación de peso corporal varía la intensidad del avance hacia el *set point* (hambre) según la diferencia que exista entre tu peso actual y tu *set point*. Una pequeña diferencia puede provocar un poco de apetito. Una gran diferencia, mucha hambre.

- Para que una habitación fría (por ejemplo, a 15°) suba hasta la temperatura de referencia (22°), la caldera tendrá que hacer una cosa: conectarse. Por el contrario, nuestro sistema de regulación del peso corporal provocará al menos tres cambios si nuestro peso actual (68 kilos) es inferior a nuestro peso de referencia o *set point* (70 kilos): tendrás más apetito de lo habitual, pensarás más en comida y, cuando comas, necesitarás más comida para sentirte lleno.

Los sistemas con *set points*, ¡benditos sean!, *se programan y te olvidas*: una vez que el *set point* está en su lugar correcto, ya no se ha de hacer nada más. Cuando has programado el termostato de tu casa en la temperatura que deseas, ya te puedes olvidar de él. Conectará y desconectará la caldera cada vez que suba o baje la temperatura. Del mismo modo, saber cómo bajar tu *set point* del peso corporal es lo único que necesitas para perder peso. Cuando bajas tu *set point*, ya no te tienes que preocupar más del tema. Tu cerebro indicará hambre sí, hambre no (generalmente, será este último caso), de tal forma que perderás peso sin esfuerzo. Sin tener que contar las calorías. Sin tener que elegir cuidadosamente lo que has de comer. Sin pasar hambre.

¿Cómo controla mi peso mi set point?

Si eres como la mayoría de las personas, tu *set point* de peso corporal siempre se acerca a tu peso actual: a veces está un poco por encima, a veces un poco por debajo, pero nunca demasiado alejado. Tu sistema de regulación de peso mantiene tu peso cerca de tu *set point*, del mismo modo que un conductor mantiene su vehículo dentro de su carril haciendo pequeños ajustes. Cuando tu peso está un poco por debajo, tienes algo más de hambre de lo habitual y necesitas un poco más de comida para llenarte. Cuando tu peso está un poco por encima, no tienes tanta hambre y necesitas menos cantidad de comida para sentirte saciado. Estos cambios de apetito son tan insignificantes y frecuentes que en general no los notamos.

Sin embargo, si sigues el consejo de este libro, deberías poder situar tu *set point* bastante por debajo de tu peso actual, posiblemente muy por debajo de lo que lo ha estado jamás. Cuando has conseguido bajar tu *set point*, simplemente añadiendo algunos alimentos a lo que sueles comer, podrás mantenerlo con facilidad sin hacer ningún esfuerzo consciente. En el momento que baje tu *set point*, observarás los siguientes cambios:

1. *Tendrás menos apetito entre las comidas:* no tendrás tanta prisa por comer. Evitarás el picoteo. No pensarás tanto en comida. Si tienes la costumbre de cenar tarde, probablemente se te quite.

2. *Cuando comas, te sentirás satisfecho antes.* No necesitarás comer tanto para sentirte satisfecho, para llegar a ese punto en que deseas dejar de comer. Si tu *set point* de peso está por debajo de tu peso actual, te sentirás satisfecho antes que si tu *set point* estuviera un poco por encima. Es decir, cambiando tu *set point* de peso corporal a

un peso bastante más bajo (siguiendo la dieta Shangri-La), comerás la misma comida y disfrutarás de los mismos sabores, pero no tendrás que comer tanto para sentirte satisfecho.

Estos dos cambios suelen producirse en el plazo de días tras haber comenzado la dieta Shangri-La. Serán los primeros signos de que está funcionando bien.

Algunos sabores engordan más que otros

Una de las principales características de la dieta Shangri-La es su énfasis en el sabor. La razón de hacer hincapié en este tema es porque *el sabor de un alimento controla cómo influirá en tu set point.*

Nacemos con el gusto por lo dulce y lo salado, pero con la mayoría de los sabores, como el sabor de las espinacas, hemos de aprender a que nos gusten, como bien saben los padres. La mayor parte de este aprendizaje es asociativo: nos gusta un sabor cuando lo asociamos con calorías. Cuando un sabor tiene una buena asociación con las calorías, sabe mejor. La Coca-Cola es un buen ejemplo. El autor japonés de un libro de cocina, Gaku Homma, probó la Coca-Cola cuando era lo bastante mayor como para recordarlo. Posteriormente escribió que «sabía a medicina».[7] Un amigo mío probó por primera vez la Coca-Cola cuando tenía siete u ocho años. No le gustó. «¿Por qué tanto alboroto?», se preguntó. En ambos casos, la bebida no les gustó porque todavía no la habían asociado con las calorías. Puesto que la Coca-Cola contiene calorías, a medida que vas bebiendo la asociación sabor-calorías se hace más fuerte y el sabor gusta cada vez más. Así es como un crítico de restaurantes describió su reacción al cilantro: «Primero rechacé el sabor de la hierba; tras una exposición repetida a la misma empecé a esperar su sabor. Luego me gustó. Posteriormente me encantó».[8] Su reacción cambió porque comió cilantro con comida (calorías). De haberlo comido solo, su reacción de repulsión inicial habría persistido.

Las asociaciones de sabor-calorías son importantes porque influyen en tu set point. Un alimento con una fuerte asociación sabor-caloría elevará tu *set point*; un alimento con una asociación sabor-caloría débil lo bajará; un alimento *sin* asociación sabor-caloría lo bajará mucho.

Dos alimentos que bajan tu *set point*

Cuando te das cuenta de que bajar tu *set point* es la clave para perder peso, lo único que tienes que hacer para empezar con el programa Shangri-La es comer alimentos que lo bajen.

Si clasificamos los alimentos en una escala del 1 al 10, en la que un alimento clasificado en el 0 empuje tu *set point* al 0 (delgado) y un alimento clasificado en el 10 lo empuje hacia un valor muy alto (obeso), podríamos decir que las verduras crudas tienen un valor de 4, y la comida basura un valor de 10. (Luego explicaré por qué la comida basura empuja hacia arriba tu *set point*, y la razón te sorprenderá.) Si sólo comes comida basura (valor 10), tu *set point* será mucho más alto que si únicamente comes verduras crudas (valor 4). Supongamos que sólo comes comida basura, pero que luego le añades verduras crudas a tu dieta. Esto bajaría tu *set point*, porque le estarías añadiendo valores 4 a una dieta que de otro modo sería de valor 10, y eso hará que pierdas peso.

Si con tu antigua dieta comías alimentos que eran 10, 10, 10, 10, 10, tu valor medio era 10.

Con tu nueva dieta añades algunos alimentos con valores más bajos: 10, 10, 10, 10, 10 más 4, 4. Ahora la media será inferior a 10, de modo que tu *set point* disminuirá.

La dieta Shangri-La se basa en el descubrimiento de que hay alimentos mucho más poderosos que las verduras crudas para bajar tu *set point*. Si las verduras crudas tienen un valor de 4, los dos alimentos esenciales de la dieta Shangri-La tienen un valor 0. Incluso pequeñas cantidades harán que tu *set point* descienda significativamente. A continuación tienes dos alimentos que bajan los *set points*:

Alimento 1. *Agua azucarada (insípida)*. Aunque el agua azucarada sea dulce, el cerebro responde a ella como si fuera insípida. Las investigaciones han demostrado que el cerebro trata lo dulce de forma diferente a los otros sabores.[9] (Por ejemplo, a los niños pequeños, a los que les apetecen pocos sabores, les gusta lo dulce.) Beber agua azucarada es como comer un alimento sin sabor, baja tu *set point* y te ayuda a perder peso.

Alimento 2. *Aceite de oliva extra-light*. El aceite de oliva *extra-light* prácticamente no tiene sabor (lo contrario del aceite de oliva virgen extra, cuyo sabor es muy fuerte). Ingerir una pequeña cantidad de aceite de oliva *extra-light* es casi como tomar un alimento insípido, que, repito, baja tu *set point* y te ayuda a perder peso.

Incluso en cantidades tan pequeñas como unos cientos de calorías al día, estos alimentos tienen poderosos efectos en la pérdida de peso. En capítulos posteriores hablaremos con mayor detalle sobre cada uno de estos tipos de alimentos y sobre sus beneficios. Lo que espero es que por ahora sepas que puedes perder peso de formas sorprendentemente nuevas. Aunque es muy probable que no hayas oído hablar antes de estos nuevos métodos, son sencillos, fáciles de adoptar y perfectamente coherentes con una dieta saludable. No has de dejar de comer nada. No debes dejar de comer hamburguesas, postres o pan, ni ningún otro alimento entre los más saludables de tu dieta actual. Lo único que tienes que hacer es empezar a comer uno o los dos alimentos que he mencionado, cada día. Si quieres perder mucho peso, puede que tengas que variar los sabores de tu comida, el sabor de tus hamburguesas, por ejemplo. En el capítulo 6, «Crédito extra: seis formas más de perder peso», hablo de cómo aplicar las ideas nuevas de otras formas.

La cantidad de estos alimentos que tendrás que ingerir cada día dependerá de la cantidad de peso que desees perder; puede que sólo tengas que tomar 200 calorías al día, o menos, de estos alimentos de la dieta Shangri-La que bajan tu *set point*. Cuando éste es inferior a tu peso actual, tienes menos hambre durante el día. Cuando comes, te llenas antes. Perderás peso hasta que éste alcance su nuevo *set point* más bajo. Cuando llegues a ese punto, tu apetito volverá a niveles normales y dejarás de perder peso.

2. El caso de la falta de apetito

Esta nueva industria de 3 mil millones de dólares al año
simplemente estaba destinada al antiguo propósito
de adelgazar comiendo lo que se quisiera,
lo cual, por supuesto, no funciona nunca.[10]

The Washington Post (2005)
Descripción de la industria alimentaria *light*.

Cuando empecé a trabajar como profesor, la primera asignatura
que enseñé fue introducción a la psicología. Decidí tratar el tema
del control del peso en una de mis exposiciones; a decir verdad,
un tema bastante atípico para primero de psicología, pero me in-
teresaba. Era un interés intelectual, no práctico: estaba delgado
y podía comer lo que me diera la gana. Había leído un montón
de artículos científicos para ver qué podía decir. La mayoría tra-
taban sobre experimentos con ratas donde habían estudiado el
efecto de los cambios dietéticos sobre el peso. Me gustaba leer
sobre los experimentos que realizaban con ratas. En los cursos
de posgrado había hecho bastantes, aunque no estaban relacionados con el control del peso. Mi disertación para mi doctorado
fue sobre cómo medían el tiempo las ratas.

Diez años después ya no estaba delgado. La báscula marcaba 90 kilos. Mido 1,78 metros, por lo que mi índice de masa corporal (IMC) era de 29 (sobrepeso). Había hablado muchas veces sobre el control del peso y había aconsejado a mis alumnos basándome en los artículos científicos que había leído. Entonces seguí mis propios consejos y empecé a comer menos comida procesada (naranjas en lugar de zumo de naranja, por ejemplo). El cambio dietético funcionó: perdí fácilmente unos 5 kilos. Esto me intrigó. Quizá haber leído todos esos experimentos con ratas me había enseñado algo útil.

Seguí leyendo artículos científicos sobre el control del peso. Una vez hasta pensé en escribir un libro basado en mis charlas de primero de psicología. Mientras estaba investigando para el libro (que nunca terminé), hablé con el doctor Israel Ramirez, un investigador científico del Monell Chemical Senses Institute, de Filadelfia. Me envió un puñado de copias de sus artículos científicos, y uno de ellos me condujo a pensar en una nueva teoría sobre el control del peso. (Para más información sobre las investigaciones de Ramirez, véase el apéndice, «La base científica que hay tras la teoría de la dieta», páginas 151-166). La teoría —que describo en el siguiente capítulo— me ayudó a descubrir dos nuevas formas de perder peso: comer alimentos con un índice glucémico bajo (perdí 3 kilos) y comer *sushi* (perdí 6 kilos). Era una prueba excelente de que había mucha verdad en ello.

Seguí comiendo menos comida procesada, y nunca recuperé el peso que había perdido de ese modo. Nunca dejé de comer alimentos con bajo índice glucémico y nunca recuperé el peso que había perdido de ese modo. Dejé de comer *sushi* al cabo de un mes, aproximadamente, y recuperé el peso que había perdido así. En ese momento pesaba 84 kilos (IMC 26, todavía con sobrepeso), sin duda, seguía siendo demasiado. Al igual que millones de personas, me hubiera gustado perder peso, pero no podía. No obstante, a diferencia de los demás, yo tenía una buena teoría sobre el control del peso, una teoría que en realidad ya había funcionado, en el sentido de que me había ayudado a perder peso. Mi situación me desconcertaba. Si había entendido correctamente el control del peso, ¿no podría yo elegir mi propio peso? Si entiendes el funcionamiento de algo, ¿no deberías poder arreglarlo? No podía ver el fallo en esta tesis, que parecía implicar que había algo erróneo en mi teoría. Pero no podía descubrir qué era.

Los refrescos franceses expanden mi teoría

En el año 2000, me fui a París a comprar un billete barato para Croacia, donde iba a visitar a una amiga. París, al ser París, me retuvo allí una semana.

Me encanta la comida francesa. Mi primera comida en París, en un *bistro*, fue deliciosa. Sin embargo, después de esa comida, dejé de tener hambre. Durante la mayor parte del tiempo que estuve en París, tuve que forzarme a comer. ¡Qué gran decepción!

¿Por qué?, me preguntaba. No estaba enfermo, ni deprimido, ni ansioso. No estaba tomando ninguna medicación. Caminaba mucho cada día, visitando la ciudad. Mi vida era normal, la de cuando se está de vacaciones; sencillamente no tenía hambre. Suelo comer bastante.

Como ya he explicado en el capítulo 1, *Por qué una caloría no es una caloría*, mi teoría sobre el control del peso hace hincapié en que la relación entre tu *set point* y tu peso actual determina el hambre que tienes en cada momento. Si tu *set point* está por *encima* de tu peso, tendrás hambre. Si está por *debajo*, no tendrás hambre. La pérdida total del apetito, según mi teoría, significaba que mi *set point* estaba por debajo de mi peso (véase tabla «¿Cuál es mi *set point*?», en la página 22). Durante mis paseos tenía mucho tiempo para pensar en cuál podía ser la causa de mi pérdida de apetito.

Nunca lo había perdido antes de esa forma, de modo que, probablemente, la causa sería algo desacostumbrado. No era París, había estado en París otras veces y en otras ciudades extranjeras y no me había pasado eso. Mi teoría decía que la comida controla el *set point*. Así que me centré en la comida: ¿qué había comido que no era lo habitual?

La comida en el *bistro* no había sido especial. Pero *hubo* algo diferente. Era el mes de junio y hacía mucho calor. Para refrescarme había tomado durante algunos días refrescos azucarados. Esto no era habitual en mí; más bien, nunca lo había hecho. En casa nunca tomaba refrescos azucarados, siempre tomaba refrescos de régimen. En París quise probar refrescos que no hubiera en mi país, pero los refrescos que eran nuevos para mí no tenían versiones *light*. Así que tuve que tomar refrescos con azúcar.

Esos refrescos no tenían sabores que me fueran familiares. Sus sabores todavía no estaban asociados a calorías. Según mi teoría, que expongo en el capítulo 1, *un alimento sin una asociación sabor-caloría bajará mucho tu* set point. Esto me hizo sospechar de los refrescos.

Si mi teoría estaba equivocada, sospechar de los refrescos era absurdo. En París perdí peso, eso es lo que sucede cuando te saltas comida tras comida. Casi todo el mundo piensa que los refrescos con azúcar ayudan a *aumentar* de peso. Pero mi teoría defiende que sólo los refrescos azucarados que te resultan *familiares* te hacen engordar (aumentando tu *set point*); los que *no* te son familiares deberían ayudarte a adelgazar, porque *bajan* tu *set point*. Si mi teoría estaba en lo cierto, tenía sentido concentrarme en los refrescos franceses.

La fructosa y la asociación sabor-caloría

Cuando regresé a mi país quise probar la idea de que habían sido los refrescos nuevos los que me habían quitado el apetito. Una prueba sería beber refrescos con sabores nuevos y observar qué sucedía. Pero esto resultaría difícil de mantener: acabaría conociendo todos los sabores. Otra prueba podría ser beber refrescos *insípidos*. Sin sabor, no existe asociación sabor-caloría. Pero no podía evitar el sabor familiar de lo dulce —las bebidas tenían que contener calorías—, pero quizás lo dulce tendría poco efecto.

La prueba que elegí fue beber agua edulcorada con fructosa: agua sólo con fructosa. El azúcar de mesa es sucrosa. La fructosa es un azúcar distinto que se encuentra en la miel y en la fruta. Se parece al azúcar, pero es algo más dulce. Utilicé la fructosa en lugar de la sucrosa, porque la fructosa se digiere más despacio. (Al final, llegué a la conclusión de que los inconvenientes para encontrar la fructosa superaban sus ventajas, al menos para la mayoría de las personas, y ahora sugiero que se utilice la sucrosa para la dieta Shangri-La.)

Bebí agua de fructosa «insípida» —sólo con fructosa— para evitar realizar asociaciones de sabor. Si le hubiera añadido zumo de limón, por ejemplo, se podría haber creado una asociación sabor-caloría.

El agua con fructosa me provocó una sorprendente pérdida del apetito. En pocas horas lo tenía claro. (Empecé con una dosis que ahora sé que era mucho mayor de lo necesario. Con una dosis más baja y más adecuada, puede que se tarde más en notar la pérdida del apetito.) Comía mucho menos de lo habitual y me adelgacé deprisa. El agua con fructosa saciaba mi apetito mucho más de lo que yo esperaba. Reduje a la mitad mi dosis diaria de fructosa en varias ocasiones durante las siguientes semanas, pero mi apetito no regresó. Seguí perdiendo peso con bastante facilidad, más de un kilo por semana. Sencillamente, no tenía hambre, como me había pasado en París. Realmente habían sido los refrescos.

Esto fue sorprendente. No había precedentes, ni en la literatura que había leído sobre el tema, ni en mis experimentos anteriores, ni había escuchado ninguna anécdota, para que un cambio tan pequeño (unos cientos de calorías al día) provocara semejante pérdida de peso.[11] Era mucho más sencillo que cualquier otro método para perder peso que conociera. No tenía que esforzarme por comer menos (consejo clásico), o por comer dentro de unos límites (Weight Watchers), o contar las calorías (muchas dietas), o evitar algo (Atkins, South Beach, Zona, Protein Power), o hacer más ejercicio (consejo clásico). El agua con fructosa era tan poderosa que parecía que podía perder todo el peso que quisiera. Empecé pesando 84 kilos, y decidí que quería detenerme en 68 kilos, un bonito número redondo.

Bebía una pequeña cantidad de agua con fructosa cada día, ajustando la cantidad hacia arriba o hacia abajo, hasta encontrar la dosis que me dejara con un poco de hambre. Era mejor tener un poco de hambre, porque el apetito hacía que la comida supiera mejor, y porque, por supuesto, necesitaba comer. Comía aproximadamente una vez cada dos días. Nunca sentí un apetito desagradable. A veces no tenía suficiente hambre (como en París). En algunas ocasiones dejé de tomar el agua con fructosa durante algunos días para volver a tener la sensación de hambre (posiblemente tras una pérdida de peso primero).

La pérdida de peso no estuvo totalmente exenta de problemas. Era aburrido comer tan poco. (Lentificar la pérdida de peso podía haber resuelto este problema.) Muchas veces sólo quería notar el sabor, no las calorías: empecé a tomar varias tazas de té al día y a mascar chicle. Empecé a aficionarme a las muestras de supermercado: pequeñas raciones, con mucho sabor. También comencé a buscar alimentos crujientes (manzanas, galletas, frutos secos, palomitas de maíz) o correosos (chicle, tasajo [carne desecada], mango seco). Este deseo por alimentos crujientes y correosos era nuevo.

Llegué a los 68 kilos en tres meses (véase figura 1, página 40). «¿Te estás muriendo?», me preguntó un colega. «No te adelgaces más», dijo otro compañero de trabajo. Tuve que comprarme ropa nueva. Hacerme agujeros en el cinturón. Para no bajar de 68 kilos tuve que reducir mi dosis de fructosa diaria. Quería recuperar mi apetito, pero no quería volver a engordarme. La dosis adecuada para mí resultó ser de tres cucharadas de fructosa (150 calorías) diarias. Si hubiera dejado de tomar fructosa, habría recobrado lentamente todo el peso que había perdido (como le pasa a todo el mundo cuando deja de hacer dieta). Con 68 kilos mis amigos me decían amablemente que me veía demasiado delgado. Les tomé la palabra y recuperé intencionadamente 5 kilos.

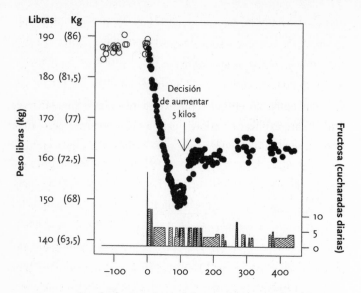

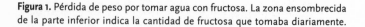

Figura 1. Pérdida de peso por tomar agua con fructosa. La zona ensombrecida de la parte inferior indica la cantidad de fructosa que tomaba diariamente.

¿Por qué funcionó tan bien el agua con fructosa? Mi teoría me había llevado a un sorprendente descubrimiento (de modo que la misma probablemente encerraba una gran verdad), aunque no explicaba por completo la pérdida de peso. Mi teoría hacía una predicción: *comer calorías insípidas bajará tu* set point. Si toda la comida que consumieras fuera insípida, decía mi teoría, tu *set point* se colocaría cerca de cero (casi sin grasa corporal). Algo parecido es lo que sucede en los hospitales cuando los pacientes reciben todos los nutrientes por vía intravenosa, es decir, sin ningún sabor. Normalmente, pierden mucho peso y se quedan muy delgados sin pasar hambre. Últimamente he visto un ejemplo moderado de este fenómeno. La madre de un amigo pasó unos días en un hospital y la alimentaban por vía intravenosa. Se quedó sin apetito y, tras abandonar el hospital, siguió sin hambre durante algunos días. Mi explicación es que, debido a la alimentación intravenosa, su *set point* había bajado un poco mientras estaba en el hospital.

Sin embargo, el agua con fructosa insípida *sí* tiene sabor: es dulce. Para explicar su eficacia para ayudar a perder peso, tuve que suponer que el dulce era una especie de sabor «invisible» que no se asociaba con las calorías. Era una suposición razonable. Cuando un sabor se asocia con las calorías, sabe mejor. Ésta es la razón por la que al crítico de restaurantes del que he hablado en el capítulo 1 le fue gustando cada vez más el sabor del cilantro. Lo dulce, sin embargo, sabe bien con independencia de cuál sea la experiencia: a los niños normalmente les gusta lo dulce. Otra diferencia notable entre lo dulce y otros sabores es que las cosas dulces saben menos bien cuando tienes hambre. «Hay algo desagradable o repelente respecto a lo dulce cuando hay una gran necesidad de comer», escribió la doctora Elizabeth Capaldi, profesora de psicología de la Universidad de Florida en Gainsville, basándose en sus investigaciones.[12] Estas diferencias entre lo dulce y otros sabores me hizo pensar que lo dulce por sí solo no se asocia con las calorías (y que, por lo tanto, no aumenta el *set point*).

No temas a la comida

Me quedé en 72,5 kilos —perdí 10 kilos— sin dificultad. Beber entre 100 y 200 calorías diarias de agua con fructosa para mantenerme en mi peso funcionaba bien. Después de dos años de hacer esto, un amigo me dijo que había un tipo de aceite de oliva, denominado *extra-light*, que casi no tenía sabor. El sabor del aceite de oliva, si es que tiene, procede de las «impurezas» (moléculas que no son la grasa). El aceite de oliva virgen extra y el aceite de oliva refinado tienen un color verde y sabor fuerte. El aceie de oliva *extra-light** (también denominado de sabor suave o refinado), sin embargo, es grasa pura, sin sabor ni color verde. Lo de *extra-light* se refiere al sabor, no a las calorías. El aceite de oliva *extra-light* tiene el mismo número de calorías por cucharada que otros aceites de oliva, como el virgen extra. Todos contienen unas 120 calorías por cucharada. Mi amigo entendió que mi teoría predecía que los alimentos más potentes para perder peso proporcionaban calorías sin sabor. El agua con fructosa lo conseguía debido a un truco especial: el dulce no contaba. El aceite de oliva extra-*light* era otra forma de perder peso. Según mi teoría, 100 calorías de aceite de oliva *extra-light* deberían tener el mismo efecto que 100 calorías de agua con fructosa.

Sometí a prueba esta predicción. Dejé de tomar agua con fructosa y empecé a tomar la misma cantidad calórica de aceite de oliva *extra-light*, aproximadamente una cucharada al día. Descubrí que la predicción era cierta: el aceite de oliva *extra-light* era prácticamente tan eficaz por caloría como el agua con fructosa. Me mantuve en mi peso. El agua con fructosa había hecho que bajara mi *set point* y me mantuviera en él; con la misma cantidad de calorías obtenidas a través del aceite de oliva *ex-*

---

* Se ha respetado la denominación de «*light*» que indica el autor, aunque en España, de momento, prácticamente no está comercializado bajo la misma, pero sí existe al menos una marca que lo comercializa bajo dicha denominación, principalmente para la exportación. En algunas tiendas se puede encontrar «aceite de oliva virgen extra de sabor suave». *(N. de la T.)*

tra-light conseguí el mismo efecto. En la figura 2 se muestra que he permanecido cerca de mi peso elegido durante cinco años.

El aceite de oliva *extra-light* tenía dos ventajas sobre el agua con fructosa (o sucrosa). En primer lugar, requería menos tiempo. La ración de un día se podía consumir en cuestión de segundos. No necesitaba ninguna preparación, como el agua con fructosa. En segundo lugar, probablemente era más saludable que el agua con azúcar. El aceite de oliva es uno de los pilares de la dieta mediterránea, lo toman los italianos, los griegos, los españoles y los cretenses, grupos étnicos que en general disfrutan de vidas largas y bajos índices de enferme-

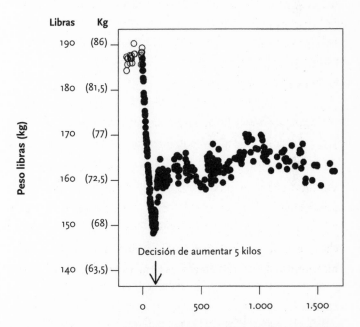

Figura 2. Los efectos a largo plazo del agua con fructosa y del aceite de oliva *extra-light*.

dades cardíacas.[13] Los sondeos han puesto de manifiesto que las personas que consumen más grasas poliinsaturadas, incluido el aceite de oliva, gozan de mejor salud que los que consumen menos. Es más difícil encontrar pruebas sobre los beneficios de la fructosa y la sucrosa.

Durante unos años sólo tomé aceite de oliva *extra-light*. Al final, volví a beber agua con fructosa, porque en pequeñas cantidades resulta agradable. Luego cambié el agua con fructosa por agua con sucrosa (azúcar de mesa), porque esta última es mucho más fácil de encontrar. («Gratis en todos los restaurantes de Norteamérica», como a un amigo mío le gusta decir.) Ahora tomo tanto aceite de oliva *extra-light*, o cualquier otro aceite insípido cuando estoy en casa, como agua con sucrosa cuando estoy fuera. No mido las cantidades. Si he engordado algunos kilos, bebo más. Si me adelgazo demasiado, bebo menos.

Incluso cuando mi peso era constante (en torno a 72 kilos), seguía comiendo mucho menos de lo que comía cuando pesaba 82. Mi metabolismo se había ralentizado. Los experimentos han demostrado esto —cuando pierdes peso, tu metabolismo se vuelve más lento—,[14] pero esos resultados no me habían preparado para la magnitud de la reducción. Antes de perder peso tomaba dos comidas principales al día. Tras perder peso, hacía una comida principal al día y algunos tentempiés. A pesar de comer muchas menos calorías, ni perdía peso ni tenía hambre. El ahorro de tiempo era fabuloso. El beneficio convencional de la pérdida de peso es gozar de mejor salud: el riesgo de padecer enfermedades graves (diabetes, cardiopatías, etc.) supuestamente disminuye y vives más tiempo. Pero todo el tiempo libre que conseguí comiendo una comida menos al día supondría muchos años de vida extra. Al comer mucho menos, también gastaba bastante menos, casi la mitad que antes.

«Al fin libre», así es como me sentía, dicho con palabras sencillas. Antes de perder peso, había evitado muchos alimentos que me gustaban porque sabía que me harían engordar. Después de perder peso, con el poder de la fructosa, sucrosa o del aceite de oliva *extra-light*, comía todo lo que me apetecía con moderación. Cuando llegaba la hora del postre, de la mermelada, de la pasta, del pan y de las galletas u otros productos de repostería, tomaba pequeñas cantidades, y quedaba satisfecho. Las raciones de los restaurantes me parecían enormes. Pero, ante todo, me podía *relajar*: si algo me engordaba, podía beber más agua con azúcar a la mañana siguiente. No sólo podía comer de todo, sino que también podía pasar sin comer —saltarme cualquier comida— sin sentirme mal. En un vuelo largo, por ejemplo, si no me gustaba la comida del avión, sencillamente no comía. Al comer bastante menos, no me importaba ir a restaurantes más caros. Comer se convirtió más en un placer que en una necesidad. Me preocupaba de comer alimentos nutritivos todos los días (frutas, verduras, cereales integrales, vitaminas y minerales).

Mi momento Eureka

Según el escritor de la revista *New Yorker* Malcolm Gladwell, los libros de dietas «contienen una serie de normas y convenciones implícitas» que incluyen «el momento eureka, cuando el autor explica cómo descubrió por casualidad la verdad radical que inspiró su dieta».[15] Yo también tuve un momento eureka, pero no fue el descubrimiento de los efectos del agua azucarada.

Sucedió bastante antes: cuando descubrí que los consejos para perder peso que había dado a mis alumnos realmente funcionaban. Una de mis conclusiones en mi charla sobre el control del peso fue: «Cuanto más sabrosa es la comida, más engorda». ¿Qué hace que la comida sepa bien? Bueno, el procesamiento de la misma. Gran parte de lo que le hacemos a la comida mejora su sabor. Esto implicaba que, cuanto menos procesada fuera la comida y más cerca estuviera de su estado natural, menos sabrosa sería y por ende menos engordaría. Puse a prueba esta teoría. Comí menos alimentos procesados: naranjas en lugar de zumos de naranja, arroz integral en lugar de arroz blanco o pasta normal, comida sencilla cocinada en casa en lugar de salir a comer o comprar la comida preparada. Dejé de comer bollería, incluido el pan. Durante los primeros días la nueva forma de comer me parecía insulsa y aburrida. No obstante, al cabo de una semana empecé a disfrutar de ella y la manera de comer anterior no me apetecía.

Como ya he dicho antes, funcionó. Perdí 5 kilos en ocho semanas (véase figura 3, página 47). Aparte de la leve dificultad que implicó cambiar lo que comía, no me supuso ningún esfuerzo. Durante un tiempo tuve menos apetito de lo habitual, y por lo tanto perdí peso. Nunca volví a recuperar lo que había perdido. Nunca eché en falta lo que comía antes. Incluso ahora, después de quince años, todavía no he vuelto a desear tomar zumos de naranja envasados y bollos. Entre los expertos del control de peso hay el consenso de que es prácticamente imposible perder peso y mantenerlo. «Perder peso no es para los pusilánimes», dijo el doctor Thomas Wadden, director del Programa

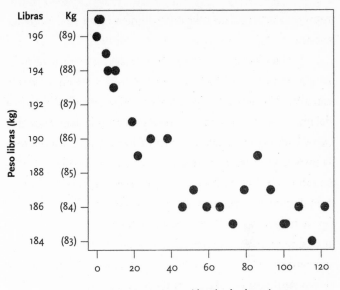

Libras / Kg

Peso libras (kg)

Días transcurridos desde el comienzo
de la toma de menos alimentos procesados

Figura 3. Pérdida de peso cuando empecé a tomar menos alimentos procesados (naranjas en lugar de zumos envasados, por ejemplo).

para el Peso y los Trastornos Alimentarios de la Universidad de Pensilvania, en el año 2005.[16] Pero yo había perdido peso fácilmente.

La «verdad radical» que inspiró mi dieta no fue que comer menos alimentos procesados me ayudara a adelgazar. Eso no era más que una verdad interesante. La verdad radical fue lo fácil que había sido aprender esa interesante verdad. No podía explicar la razón por la que mi cambio dietético me había hecho perder peso. Pero me di cuenta de que *podría descubrirlo estudiándome a mí mismo*. En un mundo donde un estudio típico para perder peso cuesta mucho dinero, varios años de tiempo y es realizado por un equipo de científicos que han dedicado su vida profesional a este tema, creer que alguien como yo —prácticamente ignorante en esta cuestión, sin créditos en fisiología o nutrición— pudiera aprender algo tan importante sin coste alguno en tan sólo unos pocos meses *fue* radical. Experimentar con uno mismo no es nuevo en la historia de la medicina, pero casi siempre se ha utilizado para demostrar más que para descubrir. Por ejemplo, Barry Marshall, ganador del premio Nobel de medicina de 2005, utilizó su propio cuerpo para demostrar su teoría sobre las úlceras. Experimentar con uno mismo se produce normalmente bastante tiempo después de la idea. En mi caso experimentar conmigo mismo podía *darme* ideas.

Esto es lo que sucedió. Mi teoría sobre el control del peso en un principio se inspiró en los experimentos con ratas del doctor Israel Ramirez (véase apéndice). Pero llegué a creer en la teoría porque me ayudó a descubrir nuevas formas de perder peso. Cuando perdí mi apetito en París, se debió a los refrescos cuyos sabores no me eran familiares. Y esa hipótesis —que la mayoría de las personas, incluidos la mayoría de los investigadores sobre la obesidad, encontrarían absurda— resultó ser correcta.

DOS PAVOS

El problema de Sarah con su peso empezó de joven. «Cuando tenía nueve años, pesaba 50 kilos —me dijo—. Eso es mucho.» Al crecer, siempre pesó más de lo que deseaba.

A los 40 probó Weight Watchers, que le funcionó durante un tiempo. Perdió casi 12 kilos, hasta llegar a su meta de pesar 65 kilos, que para su estatura de 1,70 metros era un buen peso.

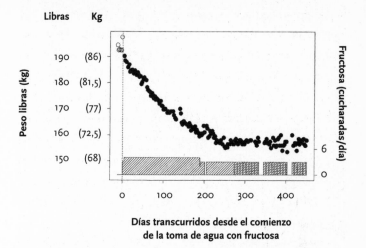

Figura 4. El peso de Sarah en el transcurso del tiempo. Los círculos en blanco muestran su peso antes de empezar la dieta. La zona sombreada indica cuánta fructosa bebía cada día. Las zonas en blanco más amplias indican las vacaciones; las zonas en blanco más estrechas indican los fines de semana. Alrededor del día 300, sólo bebía agua azucarada durante la semana.

Sin embargo, después abandonó el régimen. En los veinte años siguientes engordó 23 kilos, hasta llegar a los 88.

Sarah empezó la dieta Shangri-La (la primera, versión del agua con fructosa) en 2001, cuando tenía 61 años. Al cabo de ocho meses, perdió 18 kilos y mantuvo ese peso (véase figura 4). Durante este tiempo siguió tomando tres comidas al día. También continuó con su rutina de ejercicio (bicicleta elíptica o estática durante 30 o 40 minutos tres veces a la semana). No cambió su forma de comer, sólo comía menos cantidad. Se propuso hacer un pequeño juego. Miraba la comida que tenía delante y pensaba: «¿Cuál es la cantidad mínima que puedo comer y sentirme bien?» Después de haber empezado a tomar el agua con fructosa, la respuesta fue que aproximadamente la mitad de lo que solía comer. Le encantaba esa falta de restricciones en lo que podía comer. «Si tenía ganas de comer pizza, me tomaba una ración y me quedaba bien.» En lugar de seguir reglas estrictas sobre la cantidad que había de comer, como le exigía Weight Watchers, sencillamente comía lo suficiente para sentirse satisfecha.

Sarah no tenía problemas de apetito mientras bebía el agua con fructosa. Por el contrario, mientras comía mucho menos por no tener tanta hambre, la comida se convirtió «en un acontecimiento, no en algo que simplemente se engulle o se come a escondidas». Empezó a beber el agua con fructosa en septiembre; en Navidad había perdido 10 kilos. Al sacar el pavo de Navidad de la nevera se dio cuenta de que había perdido muchos kilos, el peso de un pavo grande. Ella y sus amigas inventaron una unidad para perder peso denominada pavo: 1 pavo = 10 kilos. Al final perdió dos pavos. Cuando consiguió su peso deseado, poco a poco fue dejando de tomar tanta fructosa para no perder más peso.

Sarah pasó de la talla 18 [48] a la talla 12 [42]. Estaba encantada de no tener que ir a comprar a las tiendas de tallas grandes. «Después de adelgazarme, podía ir a las tiendas normales y la ropa me iba bien. Eso era muy agradable.» También fueron estupendos los beneficios en su salud. Su presión sanguínea pasó de 140/80 (límite de alta) a 110/70 (normal). «Mis hijos estaban asombrados por lo que había conseguido. Que estuvieran orgullosos de mí hizo que me sintiera de maravilla. Es estupendo que la gente alabe tu apariencia, pero no es tan importante como mi sentimiento de triunfo. Sentí que había logrado un gran éxito en una batalla que había estado librando durante toda mi vida.»

3. Una nueva teoría
sobre el control del peso

En este capítulo explico la teoría en la que se basa esta dieta. Esta teoría no se limita a explicar por qué funciona la dieta; en realidad, me ayudó a descubrirlo. Después de que calorielab.com colgara en Internet un largo y escéptico artículo sobre esta dieta, alguien comentó: «Hace aproximadamente un mes que sigo la dieta Shangri-La y funciona de maravilla... ¿A quién le importa la razón?» Bueno, es cierto, no a todo el mundo le importa. No es necesario entender la teoría para que te funcione bien la dieta. Pero creo que a algunos lectores sí les interesará. Quizá les ayudará a descubrir nuevas formas de perder peso.

La teoría consiste en varias ideas que están interconectadas, y que explicaré una por una.

Idea 1. El peso está regulado por un sistema que tiene un set point

Tal como he comentado en el capítulo 1, nuestro sistema de control del peso se parece al termostato de una caldera. Del mismo modo que el termostato de la calefacción tiene una temperatura de referencia que siempre intenta mantener, nuestro sistema de control del peso tiene un *peso* de referencia que también intenta mantener. El apéndice «La base científica que hay tras la teoría de la dieta» describe algunas pruebas de esta idea.

El término *set point* puede resultar confuso porque un *set point* no es fijo; puede que nos ayude recordar que la temperatura a la que se programa un termostato tampoco es fija. El *set point* no es más que uno de esos términos cuyo significado difiere bastante de la suma de sus partes.

Idea 2. Cuando tu peso actual está por debajo de tu set point, *tu sistema hace que tengas más hambre y aumenta la dosis de alimento que tiene que ingerir para sentirte satisfecho*

En el momento que un termostato detecta que la temperatura ambiente es inferior a su temperatura de referencia, conecta la caldera para calentar la habitación, y al conectar la caldera sube la temperatura ambiente hasta que se acerca a su temperatura de referencia. Cuando la alcanza, la caldera se vuelve a desconectar. Siempre que el sistema de regulación del peso corporal detecta que tienes menos grasa en tu cuerpo de lo que deberías tener por tu *set point*, hace que tengas más hambre que de costumbre entre las comidas y aumenta la cantidad de alimento que necesitas para notar la sensación de plenitud. (También hay otros cambios, pero éstos son los más evidentes.) Estos cambios hacen que comas más de lo habitual y engordas, devolviéndote a tu *set point*. A medida que tu peso se acerca a tu *set point*, tu hambre disminuye.

Idea 3. Tu set point disminuye entre comidas

Cuando no comes, tu *set point* disminuye lentamente. El índice de disminución varía mucho (véase idea 4), pero aproximadamente puede ser de unos 225 gramos por día. (Cuando no comes, tu peso también baja, por supuesto, puesto que quemas grasa. Tu peso baja antes que tu *set point*. Ésa es la razón por la que dejar de comer provoca apetito y por la que las dietas que te hacen pasar hambre no funcionan.)

Idea 4. Cuanto más elevado es tu set point, más disminuye entre las comidas

Si tu *set point* es muy alto (eres obeso), puede descender entre las comidas aproximadamente medio kilo cada día. Si tu *set point* es bastante bajo (eres delgado), bajará muy lentamente, quizás unos 115 gramos al día.

Idea 5. Comer sabores que están asociados con calorías eleva tu set point

Cuando comes algo que tiene una asociación sabor-caloría, tu *set point* sube. Cualquier alimento familiar que tenga calorías (manzana, pan, salmón) tendrá este efecto.

Las ideas 3 y 5 en conjunto implican que tu *set point* siempre sube y baja: sube en una comida (idea 5), baja entre comidas (idea 3), sube en una comida, baja, etc. La figura 5 muestra esta oscilación.

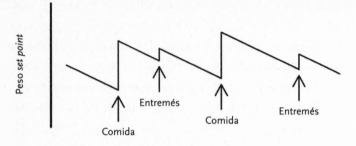

Figura 5. El efecto de la comida sobre tu *set point*.

Tu *set point* permanecerá casi igual —subiendo y bajando alrededor del mismo valor— sólo si la cantidad en que la comida lo aumenta *durante* las comidas iguala a la cantidad en que baja *entre* las mismas. Hay muchas probabilidades de que esto sea cierto ahora mismo: la comida que comes aumenta tu *set point* en la misma proporción en que baja entre las comidas. Esto mantiene estable tu *set point* y, por lo tanto, también mantiene estable tu peso. (Tu peso siempre se acerca a tu *set point*.) La dieta Shangri-La te ayuda a perder peso porque reduce la cantidad en que la comida que ingieres a diario aumenta tu *set point*: tomas el mismo número de calorías, pero tu *set point* sube menos. El resultado es que tu *set point* actual —y por lo tanto tu peso actual— se vuelve insostenible. Tu *set point* caerá lentamente hasta que el aumento y el descenso vuelvan a estar equilibrados.

Por ejemplo, supongamos que la comida aumenta tu *set point* unos 450 gramos al día, y que éste desciende entre comidas aproximadamente la misma cantidad. Esto es una situación estable: tu *set point* subirá y bajará en torno al mismo valor, un día tras otro. En enero, febrero, marzo, tu peso será el mismo. El 1 de abril cambias la dieta y tu *set point* aumenta sólo unos 350 gramos al día. Esto ya *no* es una situación estable. Tu *set point* desciende entre las comidas más de lo que aumenta en las mismas. El nivel en torno al cual oscila tu *set point* descenderá paulatinamente, unos 100 gramos al día. Puesto que desciende este nivel, perderás peso. En abril, mayo y junio pierdes peso. Perderás peso hasta que llegues a un peso en que tu *set point* baje sólo 350 gramos al día entre las comidas, en lugar de bajar 450 gramos.

Idea 6. Cuanto más fuerte es la asociación sabor-caloría de un alimento, más subirá tu set point cuando lo comas

La fuerza de la asociación sabor-caloría es importante: los sabores que están directamente asociados con calorías suben tu *set point* más que los sabores que apenas están asociados con las mismas. Un poco más adelante, en el apartado «Aplicación de la teoría a los alimentos cotidianos», en la página 57, explicaré qué es lo que hace que una asociación sabor-caloría sea fuerte o débil.

Con esto nos podemos hacer una idea de hasta qué punto un sabor está asociado a las calorías. Un sabor que no esté asociado a las calorías es un tanto insípido o extraño, o incluso hasta desagradable. A medida que la asociación sabor-caloría se hace más fuerte, no es que el sabor cambie, sino que se vuelve agradable y familiar. Podemos experimentar esto tomando una infusión que no nos resulte familiar. Le ponemos azúcar (para obtener calorías). La primera taza tendrá un sabor medianamente agradable por el dulzor del azúcar. Si cada día tomas una taza de esa infusión con azúcar, poco a poco te irá sabiendo mejor a medida que el sabor de la infusión se asocia con las calorías del azúcar. Si, por otra parte, le añades un edulcorante no calórico, las tazas siguientes no sabrán cada vez mejor. El sabor de la infusión no se asociará con las calorías, porque la bebida no tendrá calorías.

Probablemente tengas varios alimentos favoritos que saben muy bien debido a su fuerte asociación sabor-caloría. Siempre se tratará de alimentos que has comido muchas veces. ¿Un donut de chocolate? ¿Un *hot dog* con cierto tipo de mostaza? ¿Un vaso de whisky? Si sientes deseos de comer ciertos alimentos, es porque te proporcionan placer, son alimentos que no puedes pasar ni un día sin ellos (si eres adicto a la Pepsi-Cola, por ejemplo), alimentos por los que conducirías 30 minutos para conseguirlos. Comer esos alimentos hace que suba tu *set point* más que cuando comes alimentos que no te resultan tan familiares o sabrosos.

En el extremo contrario de la escala de la asociación sabor-caloría se encuentran los sabores que no están asociados con calorías. Aquí es donde empieza el sabor. La primera vez que pruebas un sabor, éste no está asociado a ninguna caloría. Sin embargo, cuando ya eres lo suficientemente mayor como para leer este libro, casi todo lo que comes sabe a algo que te resulta familiar. La persona normal y corriente se encuentra con sabores totalmente nuevos cuando se lanza a la aventura (cuando va a un restaurante étnico, cuando sigue una receta con ingredientes poco comunes o que tienen especias) o cuando viaja a un país extranjero. Yo voy a muchas tiendas de alimentos étnicos, donde compro alimentos envasados de sabores exóticos (mi versión de turismo de sillón). Comer alimentos exóticos no sube tu *set point*, de modo que estos alimentos te ofrecen una rara oportunidad de volar por debajo del radar de tu sistema de regulación de peso corporal y comer sin que suba tu *set point*.

Aplicación de la teoría a los alimentos cotidianos

¿Cómo se puede usar esta teoría para saber qué tienes que comer para perder peso? Hemos de averiguar qué alimentos, después de comerlos varias veces, tienen una fuerte asociación sabor-caloría y cuáles tienen una asociación débil.

Cien años de investigación sobre los condicionamientos pavlovianos van a servirnos de ayuda. Esta investigación tiene dos reglas que, según se ha descubierto, pueden aplicarse a todos los ejemplos de los condicionamientos de Pavlov.

Primero, *cuanto más débil es la señal, más débil la asociación*. Cuando Pavlov utilizaba una campana que los perros apenas podían oír, les provocaba menos salivación que cuando la escuchaban con claridad.

Aplicado a la teoría del sabor-caloría, significa que *cuanto más débil es el sabor del alimento, más débil es la asociación sabor-caloría*. Si reducimos la cantidad de sabor en la comida, esta asociación sabor-caloría se vuelve más débil. Cuando empecé a comer grandes cantidades de comida relativamente insulsa *(sushi)*, perdí peso. Posteriormente descubrí que el agua azucarada y el aceite de oliva *extra-light* —ambos insípidos— funcionaban aún mejor.

Segundo, *cuanto más se retrasa el resultado, más débil es la asociación*. En los experimentos de Pavlov, la campana era la señal, y la comida era el resultado. La comida se daba en el momento en que la campana dejaba de sonar. Si se les hubiera dado la comida varios minutos después de que la campana hubiera dejado de sonar, los perros no la habrían asociado con el alimento.

Aplicado a la teoría sabor-caloría, esto significa que *cuanto más lenta se digiere la comida, menor es la asociación sabor-caloría*. Cuando un alimento se digiere más despacio, las calorías de ese alimento se detectan más despacio. Por lo tanto existe un vacío mayor entre la señal (sabor) y el resultado (calorías). Creo que ésa es la razón por la que las dietas bajas en hidratos de carbono y con hidratos de carbono buenos funcionan bien: sustituyen a alimentos que se digieren rápido, como el pan, por alimentos que se digieren lentamente, como las verduras. Los alimentos que se digieren más despacio tienen asociaciones sabor-caloría más débiles. No elevan tanto tu *set point*.

Un granero de la Edad de Piedra

No es un gran misterio por qué nuestro sistema de regulación de peso corporal funciona de este modo. Es un sistema diseñado para almacenar energía (calorías) —es decir, para engordarnos— cuando la comida sobra, y para reducir la cantidad almacenada —adelgazarnos— cuando la comida escasea. Así es como funciona cualquier sistema de almacenaje razonable. Almaceno servilletas de papel cuando son baratas y uso las que tengo almacenadas cuando son caras. Los graneros guardan el grano cuando hay abundancia. El grano almacenado se vende cuando escasea y es más caro.

El sistema que he descrito utiliza el sabor de los alimentos para determinar si la comida sobra o escasea. En la Edad de

Piedra, en las épocas de abundancia, la comida sabía considerablemente mejor. Cuando sobraba la comida, era más probable que los alimentos más sabrosos —los que tenían la asociación sabor-caloría más fuerte— se comieran cuando la comida escaseaba.

En la Edad de Piedra, este sistema nos engordaba, o al menos aumentaba nuestro volumen, durante los «años de gordura», para protegernos de los «años de flacura». Pero en la actualidad no hay años de flacura, y nuestra valiosa grasa, una vez tan apreciada, ahora nos perjudica más que nos beneficia.

¿Por qué creértelo?

Nadie cree una teoría sino el que la formula, dice el dicho. Eso no es del todo cierto. Hay dos tipos de descubrimientos que son especialmente persuasivos. Primero, la confirmación de una predicción sorprendente. Un famoso ejemplo es la del retorno del cometa Halley en la fecha indicada (una evidencia muy convincente de que los cometas giran alrededor del Sol). Una predicción sorprendente de esta teoría del control del peso es que se ha confirmado que el aceite de oliva *extra-light* ayuda a perder peso. Hasta ahora se creía que la grasa engordaba. Segundo, utilidad repetida. Cuando una teoría resulta útil una y otra vez, el escepticismo se disuelve. Esta teoría me condujo a probar una dieta de bajo índice glucémico. Funcionó: me adelgacé. Tuve que comer mucho *sushi*. Funcionó. Me llevó a beber agua con azúcar. Eso funcionó extraordinariamente bien. Lo que me condujo a tomar aceite de oliva *extra-light*. También funcionó de maravilla.

Para saber más sobre la teoría, véase mi artículo «¿Qué hace que un alimento engorde? Una teoría pavloviana sobre el control del peso» en www.sethroberts.net/articles/whatmakes-foodfattening.pdf.

PIERDES HASTA LA COMIDA

Cuando Michael tenía 48 años, pesaba 115 kilos y medía 1,83 metros. Había tenido sobrepeso desde que iba a primaria. «Era un niño bajo y gordo con el pelo cortado al rape», me dijo. Aparte de los problemas de salud —por ejemplo, le dolían las rodillas—, su peso era un problema porque la gente le menospreciaba. «La sociedad establece que si eres gordo, no eres digno», me dijo.

Sus ojos se iluminaron cuando un compañero de trabajo le dijo que había adelgazado simplemente bebiendo agua con fructosa. «Yo también puedo hacerlo —pensó él—. Fue como si alguien me lanzara un chaleco salvavidas. Me iban a rescatar de pesar mucho más de lo que quería. He esperado mucho para esto.» Hacía mucho tiempo que Michael quería adelgazar, pero no quería comer comida especial. Eso significaba, nada de Atkins, Jenny Craig, etc. Cada día pasaba por delante de Weight Watchers al ir al trabajo, pero «la idea de entrar allí y ser el único hombre en una sala llena de mujeres no me apetecía mucho».

Empezó a tomar seis cucharadas de fructosa (mezcladas en un cuarto de litro de agua) cada día. La mayor parte de los días sólo comía una vez, al mediodía: unos 85 gramos de proteína (tofu, pollo o pescado) y una gran ensalada. No desayunaba, ni picaba, ni cenaba. Cuando salía a comer con su mujer —a casa de sus suegros, por ejemplo—, comía de todo, incluido postre, pero se dio cuenta de que comía mucha menos cantidad que antes.

Su esposa estaba encantada de que Michael se adelgazara, aunque no le gustaba nada cenar sola cuando ambos estaban en casa. Por otra parte, pasaban el tiempo juntos de otra manera. La mayor parte de las tardes salían a pasear a paso rápido durante unos 45 minutos, subiendo y bajando colinas.

Al poco tiempo de que Michael empezara a beber agua con fructosa, se dio cuenta de que funcionaba. Fue adelgazando paulatinamente. Después de que perdiera 9 kilos, el amigo que le había hablado de la fructosa, y que también era amigo mío, me escribió diciéndome: «Cada día me da las gracias. Me dice que si algún día tiene hijos, les va a poner mi nombre a todos». Michael siguió adelgazando (véase figura 6, página 62). A los 11 meses de empezar la dieta de la fructosa, pesaba 78 kilos, es decir, había perdido 36 kilos. De hecho, pesaba menos que cuando iba al instituto. Generalmente vestía de negro. Un compañero de trabajo le hacía bromas diciéndole que había pasado de ser Orson Welles a convertirme en Johnny Cash.

Algunos de los beneficios de adelgazar fueron físicos. Cuando Michael estaba obeso, a veces roncaba mucho. Al adelgazar dejó de roncar. Dejaron de dolerle las rodillas. Otros de los cambios fueron de índole social. Me contó que su despacho era conocido como «la sala de las lágrimas», porque algunas de sus compañeras de trabajo iban a verle para contarle sus problemas con sus parejas. Cuando se adelgazó, dejaron de contarle sus penas. «Si estás gordo te ven sólo como a un compañero. A los hombres gordos no nos consideran realmente hombres», me dijo. Sus compañeras de trabajo fueron dejando de hacerle bromas amistosas de carácter sexual, y cuando llegó a los 77 kilos ya no le hacían ninguna. «Cuando pesaba

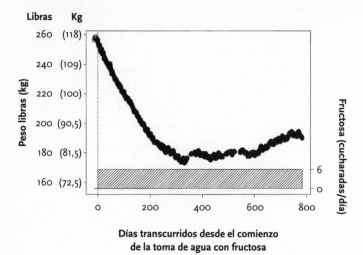

Figura 6. Peso de Michael en el transcurso del tiempo. La zona sombreada muestra cuánta fructosa tomaba cada día. Los círculos en blanco muestran su peso antes de empezar la dieta.

115 kilos, pensaban que no podía interpretar ninguna de esas bromas equivocadamente, porque es inconcebible que lo que te dicen pueda llegar a suceder —decía Michael—. Cuando pesas 77, piensan: "quizás crea que me estoy insinuando en lugar de tomárselo como una broma".»

El nuevo físico de Michael también provocó una nueva respuesta de una compañera de trabajo especialmente desagradable. Mientras era una persona gorda, explicaba Michael, «siempre que esa mujer me hablaba lo hacía con la actitud de tú pobre pedazo de... Cuando me adelgacé y acabé pesando 77 kilos, me trataba como a todos los demás». Cuando adelgazó, las personas que no le conocían le sonreían más. Se lo conté a una de las compañeras de trabajo de Michael. «Ahora sonríe más», dijo ella.

Había otra persona en su trabajo que también había adelgazado bastante, y un día Michael le dijo: «Lo mejor de estar delgado es que la comida cae al suelo» (en lugar de caer sobre la camisa). Los dos se rieron. Fue un chiste que no todo el mundo entendió, me dijo Michael.

4. Cómo seguir la dieta Shangri-La

En el fondo siempre había pensado que la respuesta a los temas de peso debía ser ridículamente sencilla, pero esto casi es demasiado como para creérselo.[17]

Starkville Daily News

Me resultaba atractivo para mi pereza natural.[18]

Motivos de un *blogger*
para probar la dieta Shangri-La

La dieta Shangri-La es el plan más flexible para perder peso que se haya podido concebir. Sin alimentos prohibidos, sin contar calorías, sin planes de comidas, sin recetas y, sobre todo, sin pasar hambre. Sin quitar nada, sólo añadiendo. Basta con seguir las pautas básicas y elegir entre las múltiples posibilidades que ofrecen.

● ● ●

Las dos reglas de la dieta Shangri-La

Esta dieta es muy sencilla, sólo hay que seguir dos reglas:

Regla 1. Toma entre 100 y 400 calorías de agua azucarada o de aceite comestible sin sabor al día

Lo que importa es el número total de calorías. Cien calorías de agua azucarada tendrán el mismo efecto que 100 calorías de aceite sin sabor. Cuantas más calorías consumes de este modo, más peso pierdes, por raro que parezca. Entre los aceites comestibles insípidos se encuentran el aceite de oliva *extra-light*, el de cártamo y el de canola*, pero cualquier aceite sin sabor servirá.

Recomiendo empezar con ambos, con el agua con azúcar y el aceite. Es probable que se digieran mejor cantidades pequeñas de ambos (por ejemplo, 50 calorías de azúcar y 150 calorías de aceite insípido) que una cantidad más grande (200 calorías sólo de aceite insípido).

La cantidad que debes tomar dependerá de cuánto peso quieras perder. Consulta la tabla de la página 67 para elegir la cantidad con la que te conviene empezar. Las cantidades de azúcar de la tabla indican la dosis de azúcar que tienes que disolver en agua; la cantidad de agua depende de ti, como ya explicaré más adelante en este capítulo. Al cabo de unas pocas semanas o

---

* El aceite de canola es aceite de colza de baja acidez, genéticamente modificado y refinado, que se produjo por primera vez en Canadá (de donde proviene su nombre: *Ca*nadian *O*il *L*ow *A*cid), y es muy bajo en grasas saturadas. No se comercializa en España. *(N. de la T.)*

de un mes, probablemente tendrás que ajustar los valores hacia arriba o hacia abajo para perder peso más deprisa o más lentamente. No intentes perder más de 1 kilo a la semana. Ése suele ser un ritmo saludable de adelgazar.

Regla 2. Toma agua con azúcar o aceite
bastante antes o bastante después de las comidas
(al menos una hora antes o después)

Por ejemplo, si vas a comer entre las 12.00 y las 13.00 horas, toma el agua con azúcar a las 11.00, o después de las 14.00. Aparte de la idea básica de tomar agua con azúcar o aceite al menos una hora antes o después de las comidas principales (o de cualquier otra comida), no importa la hora del día. Si vas a tomar tanto el agua con azúcar como el aceite de oliva, puedes tomarlos al mismo tiempo o a diferentes horas. La hora del día no importa porque el agua con azúcar y el aceite no son de esos inhibidores del apetito a corto plazo cuyos efectos duran sólo unas horas. Sus efectos duran bastante.

Dosis de azúcar y aceite

Si quieres perder...	Azúcar en agua	Calorías en azúcar	Aceite	Calorías en aceite	Calorías totales
Menos de 9 kg	1 cuch./día	45	1 cuch./día	120	165
9-18 kg	2 cuch./día	90	2 cuch./día	240	330
Más de 18 kg	3 cuch./día	135	2 cuch./día	240	375

Siempre que la dosis diaria que planifiques tomar no sea pequeña (1 cucharada o menos al día), divídela al menos en dos raciones para tomar en distintos momentos. A muchas personas les va muy bien tomar la primera dosis entre el desayuno y la comida, y la segunda después de cenar. Cuanto más despacio te tomes el aceite o el agua, más fácilmente lo digerirá tu cuerpo.

¿Qué hay del resto de alimentos que puedes comer? *Los únicos cambios que tienes que realizar en tu dieta consisten en tomar agua con azúcar y aceite.* No debes comer menos conscientemente o vigilar lo que comes. No tendrás tanta hambre, y te darás cuenta de que comes menos y te llenas antes. El resultado será que tomas menos calorías y pierdes peso sin hacer esfuerzo o comiendo alimentos bajos en calorías. Una característica muy agradable de esta dieta es que te ayudará a hacer mejores elecciones dietéticas, porque reducirá o eliminará tus ansias de comer comida basura. La mayor parte de las dietas te ponen la vida difícil; ésta te la facilita. Véase «En Shangri-La», páginas 101-107, para más ejemplos.

Preparación del agua con azúcar

Puedes preparar el agua con sucrosa (azúcar ordinario) o con fructosa (azúcar de frutas). Ambos son igualmente eficaces. Recuerda:

- El agua con azúcar debe ser insípida. La dieta Shangri-La funciona porque te aporta calorías insípidas. (Lo dulce no cuenta como sabor.) Ésta es la razón por la que tomar refrescos edulcorados, como la Coca-Cola, no funciona. (Si la Coca-Cola ayudara a adelgazar, sería el secreto mejor guardado del mundo.) *No le añadas nada al agua azucarada*, ni siquiera zumo de limón, por ejemplo.

- El agua con azúcar *debe* tener calorías. El agua edulcorada con sucralosa (Splenda), aspartamo (NutraSweet, Equal), sacarina (Sweet'n Low) o stevia* no funcionará. Una persona que empezó a hacer la dieta Shangri-La tomando agua con azúcar adelgazó un poco y pensó que se debía al sabor dulce del agua, así que cambió el edulcorante y utilizó Splenda. Al cabo de una semana le volvió el apetito y empezó a engordar de nuevo.

El azúcar de mesa, o sucrosa, es el más barato y fácil de conseguir. Para evitar el sabor, tienes que utilizar sólo azúcar blanco, ni azúcar integral, ni de caña, ni melazas. A mí me gusta tomar el agua caliente como si fuera una infusión, pero eso es un gusto personal. (Es mejor beber el agua azucarada lentamente, y si la tomas caliente te resultará más fácil.) Puedes tomarla a la temperatura que te plazca. Si la prefieres fresca o fría, puedes utilizar azúcar glasé (sólo un poco más caro), que es azúcar en polvo extrafino. Se disuelve más fácilmente en agua fría.

La *fructosa* es el azúcar natural que se encuentra en la miel, la fruta y los refrescos edulcorados con sirope de maíz rico en fructosa. Si bebes cualquier tipo de refresco comercializado (refrescos, bebidas energéticas, bebidas deportivas para rehidrata-

---

* Edulcorante natural de la planta *Stevia rebaudiana,* procedente de Paraguay y Brasil; no tiene calorías y es 200 veces más dulce que el azúcar. *(N. de la T.)*

ción, etc.), estarás consumiendo demasiada fructosa, porque estas bebidas están edulcoradas con sirope de maíz rico en fructosa, no con sucrosa. Puede que te cueste un poco más encontrar la fructosa granulada para disolver en agua. En las tiendas de productos naturales o dietéticos puede ser bastante más cara que en supermercados.

¿Qué tengo que usar, sucrosa o fructosa?

Yo ahora tomo sucrosa. Sin embargo, descubrí los poderosos efectos para perder peso bebiendo agua con fructosa. Elegí la fructosa en lugar de la sucrosa para evitar grandes cambios en mi nivel de azúcar en la sangre. La fructosa tiene un índice glucémico mucho menor, lo que implica que tiene menos efecto en los niveles de azúcar en la sangre. Otra razón por la que elegí la fructosa fue porque en los experimentos con ratas se descubrió que es relativamente difícil producir asociaciones sabor-caloría cuando la fructosa es la fuente de las calorías.[19]

De vez en cuando la gente me decía que la fructosa les provocaba dolor de cabeza o indigestión, quizá porque no les era familiar para sus sistemas digestivos y no la digerían bien. Nuestro cuerpo, en lugar de producir todo tipo de enzimas digestivas continuamente, produce sólo las que necesita. Cuando se ingiere un alimento que requiere nuevas enzimas, el cuerpo empieza a generarlas. Si alguno de los alimentos que necesitas para esta dieta (el azúcar o el aceite) es nuevo para ti, empieza con pequeñas dosis (una cucharada o menos) durante los primeros días.

Puesto que la sucrosa es mucho mejor que la fructosa, y he descubierto que es igual de eficaz, ahora la prefiero. Si te preocupa tu nivel de azúcar en la sangre, puede que prefieras fructosa o tomar sólo el aceite.

Con cualquier edulcorante que elijas, *debes beber el agua azucarada despacio*. Esto reducirá el trabajo que tiene que realizar tu páncreas, que es el que produce la insulina y regula los cambios en tus niveles de azúcar en la sangre. Un *blogger* escribió: «Aproximadamente a la hora de haber tomado el agua con azúcar [tres cucharadas en un vaso de agua grande] me entró mucho sueño».[20] Esto probablemente se debió a que bebió el agua demasiado deprisa. Mientras el azúcar se digiere en el estómago y se convierte en glucosa (azúcar en la sangre), el nivel de azúcar en la sangre (la concentración de glucosa en la sangre) sube. Cuando sube el nivel de azúcar en la sangre, el cuerpo genera insulina para bajarlo. Si se genera demasiada insulina como respuesta al agua con azúcar, como puede sucederles a algunas personas, entonces bajará demasiado el azúcar en la sangre y puede entrar somnolencia, e incluso tener algunos temblores. Si me como un bollo con el estómago vacío (por alguna razón, siempre me lo como deprisa), a la media hora me entra sueño, sin duda debido a la bajada de azúcar. (El pan tiene un alto índice glucémico.) Sin embargo, si bebes el agua con azúcar lentamente, tendrá el mismo efecto en tu nivel de azúcar que si te comes una fruta. Bebe el agua azucarada lentamente en el plazo de unos treinta minutos o más, en lugar de bebértela de golpe.

Otra razón para tomarte el agua azucarada despacio es la de evitar una infección de levaduras. Las mujeres propensas a este tipo de infecciones tienen que disolver muy bien el azúcar, o mejor optar por el aceite.

● ● ●

¿Cuánta agua debo tomar?

La cantidad de agua en la que disuelves el azúcar no afectará al poder del mismo para ayudarte a adelgazar. Puedes chupar terrones de azúcar y conseguir el mismo efecto. No obstante, *cuanto más despacio lo consumas, mejor*. Mezcla el azúcar con la máxima cantidad de agua que puedas beberte con facilidad en treinta minutos. Esto reducirá tu velocidad de ingesta.

La cantidad de agua que suelen emplear la mayoría de las personas que siguen este sistema es una taza de agua por cada cucharada de azúcar. (Recuerda que una cucharada equivale a tres cucharaditas, o a tres o cuatro sobres de azúcar.) Puede que te parezca demasiado dulce, o no lo suficiente. Ajusta la cantidad de agua para encontrar el nivel de dulzor que te gusta. La siguiente tabla te ofrece algunas posibilidades.

¿Cuánta agua debo tomar?

Cantidad de azúcar	Dulzor alto	Dulzor medio	Dulzor bajo
1 cucharada	200 ml	250 ml	350 ml
2 cucharadas	350 ml	500 ml	750 ml
3 cucharadas	500 ml	750 ml	1 litro
4 cucharadas	750 ml	1 litro	1,5 litros

Aceites insípidos

Para que funcione la opción de aceites comestibles, el aceite debe tener muy poco sabor, o ninguno. Cuando empecé a utilizar aceite, durante los dos primeros años usé aceite de oliva *extra-light* (la etiqueta puede que ponga «extra de sabor suave»). El aceite de oliva *extra-light* tiene el mismo número de calorías por unidad de medida que el aceite de oliva virgen extra. El término *light* se refiere a su sabor y aspecto. El aceite de oliva *extra-light* no tiene sabor, y es más transparente que el aceite de oliva virgen extra, que es más verdoso. Últimamente he utilizado aceite de canola y de cártamo. Los dos son prácticamente insípidos. Si el aceite tiene sabor fuerte, el sabor se asociará con las calorías, entonces el aceite empezará a elevar tu *set point* y se perderá su efecto para reducir el apetito. Una persona que hacía la dieta Shangri-La escribió: «Me tomaba una cucharada y casi podía sentir algo primitivo en mi interior que me decía algo así como: "Dame más de esto".[21] Por lo que, aunque tuviera un sabor suave, quizá mi cuerpo acabó descubriendo que era una rica fuente de calorías». Si empiezas a notarle el sabor al aceite, es que algo va mal. Cámbialo.

Aceites insípidos

Tipo	Coste por 100 calorías	Otros beneficios
Canola	2 centavos	Buena fuente de ácidos grasos omega-3
Cártamo	6 centavos	Alto en grasas poliinsaturadas
Aceite de oliva *extra-light*	15 centavos	Parte de la dieta mediterránea

«Aversiocotología»: el problema con el aceite

Hace dos años visité Xiaochi Jie (calle Snack) en Pekín, China. Estaba llena de chiringuitos donde vendían comida exótica: saltamontes, abejas, larvas de gusanos de seda, estrellas de mar, testículos de cabra y gorriones, sólo por citar unos cuantos. Por desgracia, mi primera reacción fue: *¡De ninguna manera!* Me considero un comilón aventurero, pero no probé nada de eso. Era curioso que tuviera una aversión tan fuerte por cosas de las que no sabía nada. No tengo aversión a libros que no he leído, películas que no he visto o música que no he escuchado. Sólo a ciertas comidas que no he probado.

Millones de personas beben agua con azúcar cada día. Pocas beben regularmente aceites comestibles. Personalmente, encuentro que el aceite de oliva *extra-light,* el aceite de canola y muchos otros aceites, como el de cártamo, son fáciles de tragar en dosis de cucharadas. La primera vez que me tomé el aceite de oliva *extra-light* me dio un poco de aprensión, pero luego me resultó fácil. Ahora tengo una experiencia neutra: ni agradable, ni desagradable. No obstante, para algunas personas el mero pensamiento de beber aceite les produce náuseas, como mi reacción al pensar en comer abejas.

Para saber más sobre esta reacción, hablé con Paul Rozin, profesor de psicología en la Universidad de

Pensilvania, que hace más de veinte años que estudia la aversión.[22] Una de sus conclusiones es que la aversión se suele aprender de otras personas. Transmite valores culturales. «Las personas que han participado en nuestros estudios nos han dicho que los racistas, los que abusan de los menores, los hipócritas, los republicanos y los liberales son repulsivos —escribió—. En el caso de los aceites, siempre me ha intrigado que no bebamos aceites, en especial con sabores agradables, como el de sésamo o el de oliva. Creo que fácilmente esto podría no ser así, y ser justo todo lo contrario.»[23] A esto añadió: «Dudo que los niños sientan aversión a beber aceite, pues les gustan las cosas grasas». Muchas personas me han dicho que cuando eran pequeñas sus madres les daban aceite de ricino. Ahora cuando beben aceite de oliva para adelgazar, les parece una maravilla. Esto indica que las experiencias tempranas influyen; quizá cuando yo estaba creciendo los saltamontes, las abejas y demás insectos fueron etiquetados en mi mente como *no* comestibles.

Si se aprende la aversión, ya no se puede desaprender. Si la dieta Shangri-La se vuelve popular y muchas personas beben aceite de oliva *extra-light* con regularidad, la idea de que beber aceite es desagradable puede ser sustituida por la de que es saludable. Rozin también señaló que la gente no es muy buena prediciendo cómo van a reaccionar a algo tras repetidas exposiciones.[25] Menosprecian el hecho de cuánto pueden llegar a acostumbrarse a algo. En el caso de los aceites, esto supone que lo que ahora encuentras desagradable se volverá aceptable con más rapidez de lo que probablemente imaginas. Ésta es la experiencia de una persona que sigue la dieta Shangri-La: «Cuando empecé a [beber aceite de oliva] —me dijo—, fue realmente desagradable. Ahora está bien. No es agradable, pero no es traumático. Mucho menos desagradable. Ahora que sé lo que me espera, no es tan malo como pensaba».[26] Se ponía la cuchara muy cerca, se tomaba el aceite rápidamente y se bebía un buen vaso de agua después para sacarse la sensación oleosa de la boca.

Un efecto inesperado que han observado algunas personas es que el aceite de oliva *extra-light* les deja la piel más suave.[24] Alguien me dijo que el aceite de canola tenía este efecto. Probablemente otros aceites también.

Si el aceite de oliva *extra-light* no reduce tu apetito en unos pocos días, no te rindas. Puede que tu aparato digestivo necesite un tiempo para acostumbrarse y tenga que crear las enzimas necesarias para digerir ese alimento desconocido.

¿Aceite o azúcar?

Los dos van bien. Muchas personas prefieren uno o el otro. Por ejemplo, los diabéticos, evidentemente, preferirán el aceite. Las personas con una dieta baja en hidratos de carbono optarán por el aceite, y las que sigan una dieta baja en grasas preferirán el agua con azúcar. En cualquier caso, puedes elegir lo que más te convenga.

De las personas que conozco que siguen la dieta Shangri-La, una mitad prefiere el agua con azúcar, y la otra mitad, el aceite. Yo prefiero el aceite. En casa, es mucho más rápido y fácil que preparar el agua con azúcar, que implica remover y tomar lentamente. Sin embargo, cuando estoy fuera de casa, es menos complicado tomar el agua con azúcar que el aceite. En una cafetería, beber agua caliente con azúcar es más sencillo, además de ser agradable en un día frío, y una buena excusa para hacer un descanso. Creo que pequeñas dosis de agua con azúcar, consumidas lentamente, suponen muy poco riesgo o ninguno para la salud, pero grandes dosis diarias, bebidas deprisa, pueden ser perjudiciales porque suben repetidamente los niveles de azúcar en la sangre.

Todas las plantas contienen azúcar. Lo utilizan para transportar energía, igual que hace nuestro cuerpo. Las frutas contienen mucho azúcar; un plátano equivale aproximadamente a dos cucharadas de sucrosa. Sin embargo, a diferencia del azúcar que contienen las frutas, el azúcar disuelto en agua se digiere rápidamente y puede provocar un rápido aumento del nivel de azúcar en la sangre. Es sólo este pico de azúcar en la sangre lo que «no es natural» y posiblemente perjudicial. Si bebes despacio el agua con azúcar, no habrá pico.

La diferencia del sabor

El agua azucarada y los refrescos comerciales como la Coca-Cola y la Pepsi-Cola difieren sólo en una pequeña cantidad, en el sentido de que los sabores de la Coca-Cola y la Pepsi-Cola suponen una fracción muy pequeña de su peso (¿0,001 por ciento?). Pues sí, esta diminuta diferencia en los ingredientes tiene un gran efecto en nuestra respuesta. La diferencia en la que se hace hincapié en este libro es que puedes beber agua con azúcar sin sabor para perder peso; por supuesto, también puedes beber Coca-Cola o Pepsi. Otra diferencia interesante es que el agua con azúcar, a diferencia de los refrescos comerciales, nunca crea adicción.

El doctor William Jacobs es profesor de psiquiatría de la Facultad de Medicina de la Universidad de Florida, donde está especializado en medicina de la adicción y ha dirigido la clínica de Trastornos de la Alimentación y de la Sobrealimentación.[27] Nunca ha visto a nadie que fuera adicto al agua con azúcar insípida, pero ha visto cientos de personas adictas a los refrescos comerciales, como la Coca-Cola, Pepsi-Cola y Mountain Dew. Un adicto típico a los refrescos bebe entre 2 y 3 litros al día, dice Jacobs. Creo que la Coca-Cola y la Pepsi-Cola, y refrescos similares, pueden ser adictivos porque producen fuertes asociaciones sabor-caloría. Un alimento con una fuerte asociación sabor-caloría tiene muy buen sabor, lo cual es muy adictivo; un alimento así aumenta mucho el *set point*, que es la razón por la que los adictos a los refrescos terminan en una clínica para personas obesas. El agua con azúcar, sin sabor, no tiene asociación sabor-caloría. Al ser dulce resulta agradable de beber, pero nunca se vuelve adictivo, porque sin sabor nunca puede haber ninguna asociación fuerte de sabor-caloría.

El resultado del estudio Nurses' Health, que ha hecho un seguimiento de más 100.000 mujeres durante casi 30 años, indica que realmente hay razón para preocuparse por los rápidos aumentos del azúcar en la sangre que tienen lugar día tras día durante años. Los investigadores han observado que las mujeres que beben al menos una bebida edulcorada al día tenían un 40 por ciento más de riesgo de padecer diabetes del tipo 2 que las mujeres que bebían menos de una al mes.[28] El riesgo era compensado por el peso, lo que significaba que el aumento del riesgo no se debía a una diferencia de peso entre los dos grupos de mujeres. Estos resultados son una prueba más de que el agua con azúcar se debe consumir despacio, durante unos treinta minutos cada toma.

No se ha de demonizar al azúcar, pero sí es cierto que el agua azucarada carece de calorías, a diferencia del aceite de oliva, de cártamo y de canola. En todos los estudios se han demostrado los beneficios de consumir grasas monoinsaturadas o poliinsaturadas, las llamadas grasas buenas. El aceite de oliva, de canola y de cártamo son fuentes adecuadas de las grasas buenas. La guía de nutrición *Eat, Drink, and Be Healthy* (2001), de Walter C. Willett, ofrece unos excelentes razonamientos sobre sus beneficios.[29] «Comer más grasas buenas —y evitar las malas— sólo es secundario para el control del peso en la lista de las estrategias nutricionales», dice Willett. Es uno de los que condujo el estudio Nurses' Health y basa sus recomendaciones en años de análisis de datos de su estudio.

Un famoso estudio clínico denominado Estudio de la Dieta para el Corazón, de Lyon, que se inició en 1988 y duró cinco años, comparó el efecto de dos dietas diferentes sobre las personas que ya habían padecido un ataque al corazón.[30] A la mitad de los pacientes se les aconsejó seguir una dieta baja en grasas recomendada por la Asociación Norteamericana para el Corazón; la otra mitad siguió una dieta mediterránea que incluía mucho aceite de oliva y de canola. En el grupo de la dieta mediterránea hubo la mitad de fallecimientos por cualquier causa en los cuatro años siguientes, pero no ocurrió lo mismo en el grupo de la dieta baja en grasas: una gran diferencia. Las muertes por infartos de miocardio en el grupo de la dieta mediterránea disminuyeron casi un 70 por ciento. La reducción de los infartos empezó a observarse a los dos meses de empezar la dieta. Beber aceite de oliva probablemente tenga más beneficios que la mera pérdida de peso.

¿Cuánto?

Las personas que han seguido la dieta Shangri-La han obtenido excelentes resultados cuando la cantidad total de agua con azúcar o de aceite no excedía las 400 calorías diarias. Incluso las personas que han consumido bastante menos —200 calorías— han tenido buenos resultados.

Sea cual sea la cantidad que elijas (100, 200 o 400 calorías al día), deberías perder peso progresivamente, alternando con períodos de estancamiento de vez en cuando, durante varios meses. Al final, dejarás de adelgazar y recuperarás una pequeña parte del peso perdido. Esto es normal. *Eso no significa que el agua con azúcar y el aceite hayan dejado de funcionar.* Yo llamo a esto *rebasar*: tu peso baja del nivel que puedes sostener con las dosis de azúcar o aceite que estás tomando.

Exceder en mucho las 400 calorías diarias de azúcar o de aceite durante bastante tiempo (meses) es aventurarse en un territorio desconocido. Consumir demasiado de cualquiera de los dos alimentos no suele ser recomendable en cuanto a nutrición se refiere. En lugar de aumentar la dosis por encima de 400 calorías de agua azucarada o de aceite de oliva, sugiero suplementar la dieta con uno o más de los métodos para perder peso que explico en el capítulo 6, «Crédito extra: seis formas más de perder peso».

La regla de una hora

La segunda regla es tomar agua con azúcar o aceite al menos una hora antes o después de comer. Si tomas el agua con azúcar o el aceite en la comida, simplemente actuarán como calorías añadidas, reforzando las asociaciones sabores-calorías. De todo lo que comas. Eso es justo lo contrario de lo que pretendes.

Muchos experimentos con ratas han demostrado que añadir agua azucarada a la dieta provoca un aumento de peso. Creo que la causa de que esto suceda es que el agua con azúcar se suministra al mismo tiempo que el resto de la comida. Lo mismo puede suceder tomando el aceite con una comida. Hablé con una mujer que perdió peso tomando cápsulas de aceite de pescado entre las comidas (por razones de salud; estaba haciendo la dieta Shangri-La por casualidad), pero se engordó cuando empezó a tomarlas con la comida.

¿Cuánto tiempo antes o después de las comidas? Yo he elegido una hora —es decir, tanto el agua con azúcar como el aceite se deben tomar una hora antes o después de las comidas—, basándome en dos series de experimentos con ratas. En una serie de experimentos se observó que la asociación sabor-caloría se aprendía incluso cuando se dejaba un tiempo de treinta minutos entre la ingesta de la fuente de sabor y la de la fuente de caloría.[31] En la otra serie se observó que una hora de intervalo entre el sabor y la fuente de caloría bastaba para evitar el aprendizaje de la asociación sabor-caloría.[32]

Los resultados suelen mejorar cuando las personas toman el agua con azúcar o el aceite después de una comida en lugar de una hora antes. Tras tomar el azúcar o el aceite, has de esperar una hora antes de comer algo (el agua no cuenta). Esto es más fácil hacerlo después de comer, cuando estás satisfecho, que antes de una comida, cuando probablemente tienes hambre.

Si te cuesta recordar que debes tomar el azúcar o el aceite, puede que te sirva de ayuda hacerlo junto con algo que suelas hacer, que forme parte de tu rutina diaria. Hay personas que lo primero que hacen al levantarse es tomarse el agua con azúcar, y también es lo último que hacen antes de acostarse. Puedes hacerlo cada vez que sacas a pasear al perro, cuando te vas a trabajar, en el descanso de media mañana en la oficina o cuando regresas del trabajo.

No esperes a tener hambre. Una persona que tomaba el agua con azúcar comprobó dos formas de hacerlo: esperar hasta tener hambre para bebérsela, y bebérsela una hora después del desayuno y una hora después de la comida. Le iba mucho mejor tomársela una hora después del desayuno o de la comida. Alguien hizo un experimento similar. Le funcionó mejor beber el agua con azúcar a intervalos regulares que esperar a tener hambre para bebérsela.

Tu verdadera comida

Además del agua con azúcar o el aceite, puedes comer lo que te plazca. No obstante, una dieta poco sana sigue siendo una dieta poco sana. Mientras pierdes peso, tomarás cantidades relativamente pequeñas de «verdadera comida» —es decir, comidas y tentempiés— porque simplemente no tendrás suficiente apetito para comer grandes raciones. Haz que esas pequeñas raciones sean lo más nutritivas y saludables posible. Puede que también quieras tomar un complejo multivitamínico para asegurarte de que ingieres las dosis adecuadas de nutrientes esenciales.

El gesto de incredulidad de algunas personas no hace justicia a cómo se siente la gente respecto a la comida mientras hace la dieta Shangri-La. «Ayer comí *pesto* (casero) con un montón de aceite de oliva y frutos secos... El *pesto* nunca hubiera estado permitido en un plan convencional. ¡Hurra!»[33] (La comida casera siempre es una buena idea. Véase el método 2 del capítulo 6, «Crédito extra: seis formas más de perder peso», página 109.)

Cuando te adelgaces, comerás bastante menos de lo habitual porque tendrás mucho menos apetito. Mi solución fue tomar sólo una comida de tamaño normal al día. A veces a la hora de comer, a veces a la hora de cenar, dependiendo de con quién comiera. Algunas personas que han seguido esta dieta lo han hecho de este modo, pero la mayoría toman dos o tres comidas pequeñas al día.

La dieta Shangri-La funciona sola, pero si estás haciendo otra dieta puedes seguir con ella. La dieta Shangri-La puede que te ayude a serle fiel a la otra.

¿Qué podemos esperar?

La mayor parte de las personas que prueban la dieta Shangri-La notan cambios a los pocos días; otras los perciben al cabo de una semana. Basándome en los muchos comentarios de los *blogs, e-mails* y llamadas telefónicas que he recibido de personas felices por haber seguido la dieta, los primeros cambios suelen ser:

- *Menos apetito.* «He probado esta dieta durante dos días y no tengo tanto apetito como solía.» Al cabo de unos pocos días: «Te sientes muy saisfecho. Es increíble».[34]

- *Sensación de plenitud más pronto.* En las comidas, comerás menos. «Es la primera vez que me dejo comida en el plato»,[35] «me noto satisfecho comiendo casi la mitad de lo que normalmente comía»,[36] y «era hombre de tres raciones; ahora con una ración de pizza me basta»;[37] éstos son comentarios típicos. Te resultará desagradable comer las cantidades que comías antes. «Fui a un bufé libre con unos amigos la semana pasada y me pasé comiendo... Luego me sentí demasiado lleno»,[38] escribió una persona que hacía la dieta Shangri-La.

- *Pensarás menos en comer.* Una de mis alumnas probó la dieta no porque quisiera perder peso, sino porque no quería pensar tanto en la comida. Contó cuidadosamente con qué frecuencia pensaba en comida antes y durante la dieta. Era escéptica, pero funcionó.

- *Tendrás menos ansiedad por comer.* Una mujer me contó que durante muchos años había padecido ansiedad por comer durante la noche. «Me levantaba y necesitaba comer algo, me dormía, me levantaba y volvía a tener esa necesidad. Picoteaba hasta tres veces durante la noche. Nunca dormía toda una noche de tirón.»[39] La primera noche tras empezar la dieta Shangri-La, dejó de pasarle. «Hacía tiempo que no dormía tan bien», me dijo.[40]

- *Mejores elecciones para comer.* La dieta Shangri-La es como llevar el timón: te ayuda a hacer lo que quieres hacer. Una persona lo expuso de este modo: «[Antes de la dieta] me proponía que no iba a comer nada dulce, y luego caía en la tentación y me sentía mal... Ahora me como una manzana y ya estoy bien... Tengo el control y tomo las decisiones correctas; ahora la comida ya no me controla».[41] Otra persona dijo: «Es cierto que 400 o 500 calorías de aceite o azúcar son calorías vacías, pero han sustituido fácilmente unas 1.000 calorías de comida basura: refrescos, dulces, caramelos, aperitivos... Antes no podía resistirme a todas esas porquerías».[42]

Véase «En Shangri-La», páginas 101-107, para más ejemplos de estos cambios.

En cuanto disminuya un poco tu apetito, empezarás a perder peso. La mayor parte de la gente empieza a adelgazar durante la primera semana. En general, se suele perder peso con bastante rapidez al principio (aproximadamente 1 kilo a la semana), pero luego se pierde más lentamente.

En uno de mis experimentos, un hombre joven tardó siete semanas en comenzar a adelgazar. Cuando empezó con la parte de la dieta de su experimento, había empezado a engordar lentamente, por lo que le costó más adelgazar que a otras personas con un peso estable. Un amigo mío que hacía la dieta se tomó literalmente el «puedes comer de todo», en el sentido de que podía tomar cosas que engordaran, como helados, que antes no comía. Incluyó en su alimentación bastantes de estos productos al mismo tiempo que empezó con la dieta Shangri-La, y tampoco perdió peso. El problema era que las cantidades de agua con azúcar y aceite que ingería no eran suficientes para superar el aumento de la ingesta de alimentos que engordaban.

Ajusta la cantidad de agua con azúcar o de aceite para no perder más de 1 kilo a la semana. Si pierdes peso demasiado deprisa, reduce el número de calorías que ingieres con el agua azucarada y el aceite hasta que adelgaces más despacio.

De vez en cuando, puede que dejes de perder peso durante aproximadamente una semana; es algo misterioso pero habitual. Si sigues teniendo poco apetito significa que probablemente volverás a perder peso más adelante. Simplemente has de seguir tomando las mismas dosis de agua con azúcar o de aceite.

Si dejas de perder peso y te *vuelve* el apetito, y quieres seguir adelgazando, prueba una de estas dos cosas:

- Aumenta tu dosis de agua con azúcar o de aceite en 100 calorías diarias (pero no superes las 400 calorías diarias).
- Utiliza los métodos que describo en el capítulo 6, «Crédito extra: seis formas más de perder peso».

Casi todas las personas que han seguido la dieta han descubierto que tienen que ir ajustando la dosis (unas veces hacia arriba, otras hacia abajo) para permanecer en el peso que desean.

Recuerda: *si dejas de tomar el agua con azúcar o el aceite, volverás a engordar lentamente.* Sin embargo, cuando hayas alcanzado tu peso deseado, algunos días puedes dejar de tomarlos. Si ves que vuelves a engordar, aumenta la dosis los días que los tomes.

Posibles problemas

Puesto que la dieta Shangri-La incluye alimentos muy comunes, casi siempre se tolera bien. No obstante, hay una excepción importante: las personas con cálculos en la vesícula o a las que les han extraído la vesícula biliar deben ir con cuidado con el aceite. Deberán empezar con dosis muy pequeñas (una cucharadita al día) e irlas aumentando gradualmente, y reducirlas o interrumpirlas si tienen algún problema digestivo. O bien pueden optar por beber sólo agua con azúcar.

A veces tienen lugar otros problemas menores:

- *Dificultad para tragarse el aceite.* Al principio beberlo a sorbitos puede ayudar. No es necesario tomárselo de una vez. También puede resultar más fácil si después bebemos agua.

- *Dolor de cabeza*. Es bastante frecuente. Probablemente, por consumir de repente menos azúcar o cafeína en las comidas y tentempiés —por ejemplo, menos chocolate, menos refrescos, menos comida basura—. Los dolores de cabeza suelen desaparecer a los pocos días o a la semana.

- *Encontrar muy poco sabor*. Puede que te apetezcan sabores, no calorías, puede que eches de menos los sabores. «Todavía siento mucho aburrimiento en la boca, como un hormigueo, y siento la necesidad de disfrutar de los sabores», escribió una persona que seguía la dieta.[43] Tal como he mencionado en el capítulo 2, «El caso de la falta de apetito», yo resolvía este problema tomando té, mascando chicle y comiendo productos de muestra de los supermercados.

- *Dolor de estómago*. Algunas personas me han dicho que la fructosa les ha ocasionado dolor de estómago. Si te sucede eso, toma sucrosa.

- *Diarrea*. Demasiada fructosa puede provocar diarrea. Bebe muy despacio.

- *Más apetito de lo habitual*. Algunas personas me han comentado que el agua con azúcar les ha provocado mucha hambre («a los treinta minutos, tenía un hambre voraz»).[44] Si te sucede esto, toma el aceite. Esta reacción puede reflejar un problema con tu forma de metabolizar el azúcar y deberías comentárselo a tu médico.

PROFESOR Y ALUMNO

Tom Rogers, mi cuñado, enseña periodismo en la Universidad Estatal de San José. Tuvo conocimiento de los efectos para adelgazar del aceite de oliva extra-light en nuestra cena del Día de Acción de Gracias de 2004. En aquellos tiempos pesaba 80 kilos; quería pesar unos 75. (Mide 1,78 metros.) Empezó con una cucharada de aceite de oliva extra-light al día. En Navidades, me oyó decir algo de dos cucharadas al día, así que aumentó la dosis. Se lo bebía todo por la mañana. Perdió peso lentamente. Observó que ya no tenía que comer entre horas. Y si realmente notaba que tenía que comer, se tomaba unas almendras y se sentía bien. En el pasado, se hubiera ido a la cocina y se habría comido algo más que unas cuantas almendras. También se dio cuenta de que sus comidas eran más reducidas, quizás un 30 por ciento menos. Bajó hasta 77 kilos en el mes de marzo, y luego aumentó la dosis de aceite de oliva a tres cucharadas para llegar hasta los 75 kilos, lo que sucedió en junio. Ha permanecido en ese peso durante siete meses. Ahora toma el aceite de oliva a temporadas; si ve que aumenta de peso, vuelve a tomarlo. «Lo mejor de esta dieta —dice— es que sabes que no te va a vencer el hambre, por lo que es muy fácil limitar la cantidad que comes. No tienes que luchar contra el hambre como ocurre cuando sigues cualquier otra dieta.»

Devon es una alumna de 20 años de una escuela de artes liberales. Conoció la dieta Shangri-La por el New York Times. Mide 1,65 metros, y cuando empezó la dieta pesaba 108 kilos. Cada año engordaba y parecía no poder hacer nada al respecto. Durante dos meses tomó una cucharada de aceite de oliva extra-light dos veces al día (dos cucharadas al día), una por la mañana y otra por la tarde, más una cucharada de azúcar en 1 litro de agua tres veces al día (tres cucharadas al día).

Devon de momento ha perdido casi 6 kilos. Ahora come alimentos mucho más saludables. «Esta noche he ido a la cafetería del campus —me dijo—, he visto una bolsa de zanahorias baby y he pensado: "Ah, ah, esto parece saludable", y la he comprado. Eso es nuevo para mí.» Curiosamente, la dieta le ha dado permiso para comer alimentos sanos. Cuando tiene ganas de comer algo dulce, dice: «Sé que esta dieta no me pone restricciones. Así que que me voy a tomar una fruta, y luego, si todavía me apetece comerme un dulce, me lo comeré.» Cuando come, se siente satisfecha antes. Todavía le gustan los dulces, pero ya no es «adicta». Siente que puede controlar mucho mejor lo que come. Al principio sus amigas pensaron que ésta era una dieta de locos. «Ahora ya no la ven así —me dijo—, porque ven cómo ha cambiado mi forma de comer.»

Devon ha cambiado su actitud con ella misma. «No soy tan dura conmigo misma cuando como dulces. Como he comido alimentos saludables durante todo el día, cuando como algo dulce es porque me lo he ganado.» Va más por el campus. Sube por las escaleras en lugar de tomar el ascensor. «Veo que las personas que están en forma suben por las escaleras sin cansarse. Y yo quiero poder hacer lo mismo.»

5. Preguntas comunes

Amigos, alumnos, *bloggers* de Shangri-La y otra mucha gente me han preguntado sobre la dieta. A continuación transcribo las respuestas a la mayoría de esas preguntas.

Técnica

P.: ¿Es lo mismo el aceite de oliva de sabor extra-light *que el aceite de oliva* extra-light?

R.: Sí, el aceite de oliva *extra-light* también se conoce como aceite de oliva *de sabor extra-light*. Es un aceite que apenas tiene color. El aceite de oliva virgen extra, en cambio, es más verdoso y, puesto que tiene sabor, no sirve para hacer esta dieta.

P.: ¿A qué temperatura debo tomarme el agua con azúcar?

R.: No importa. Si hace frío, me es más fácil beber el agua caliente, pero cuando tengo calor (por ejemplo, después de hacer ejercicio), el agua fría me apetece más. A la temperatura ambiente también está bien. El agua caliente hace que el azúcar se disuelva más rápido, y tiene el beneficio añadido de que te obliga a bebértela más despacio, lo que ayuda a evitar el pico del azúcar.

P.: ¿Cuántos sobres de azúcar caben en una cucharada?

R.: Los sobres de azúcar tienen al menos dos presentaciones: tamaño grande y tamaño pequeño. Una cucharada equivale a cuatro sobres pequeños o a tres sobres grandes. Según mi limitada experiencia, en las cafeterías suelen tener el tamaño pequeño; en los supermercados suelen vender los de tamaño grande.

P.: ¿Puedo beber el aceite o el agua con azúcar antes de acostarme?

R.: Sí, dado que no tienes que comer en una hora después de que te lo hayas tomado, antes de acostarte es un buen momento.

P.: Después de beber el aceite o el agua con azúcar, sé que debo esperar una hora para comer, pero ¿también tengo que esperar una hora antes de tomar café, té o un refresco light?

R.: Sí, al menos al principio. Una vez que veas que la dieta te está funcionando, puedes ser menos estricto en esta regla (es decir, puedes esperar sólo media hora). Si la dieta deja de funcionar, es posible que te hayas vuelto demasiado flexible con esta regla. Cuanto más sigas las reglas, más efectiva será la dieta.

P.: *Si acabo de lavarme los dientes con una pasta de sabor a menta, ¿debo esperar una hora antes de beber el agua con azúcar o el aceite?*

R.: Sí. La razón de esperar una hora es para evitar que se formen asociaciones sabor-caloría, y la pasta de dientes de menta tiene sabor. De nuevo vuelvo a repetir que cuando tengamos claro que la dieta funciona, podemos ser más flexibles con esta regla. Pero si la dieta deja de funcionar, hemos de pensar que quizá nos hemos relajado demasiado.

P.: *¿Puedo comer algo cuando bebo el agua con azúcar o el aceite de oliva?*

R.: No. Tienes que esperar al menos una hora antes de comer.

P.: *¿Puedo saltarme algún día?*

R.: Sí. Saltarte la dieta un día cada pocas semanas no tendrá ninguna repercusión.

P.: *¿Con qué frecuencia debo pesarme?*

R.: No importa. Los verdaderos signos de que la dieta está funcionando serán que tienes menos apetito de lo habitual, que picas menos entre horas, que comes menos en las comidas y que piensas menos en comida.

P.: *¿Es necesario hacer ejercicio?*

R.: Bueno, no hagas menos ejercicio del que acostumbrabas. Simplemente, continúa haciendo lo que solías hacer. Si quieres practicar más ejercicio de lo habitual, no pasa nada, probablemente te ayudará a perder peso (además de que también tiene otros beneficios), pero no es realmente necesario para que la dieta tenga éxito.

P.: *¿Puedo seguir con Weight Watchers?*

R.: Sí. Una de mis alumnas probó Weight Watchers para hacer un proyecto de clase. Su plan Weight Watchers asignaba puntos a cada alimento y le permitía comer cierta cantidad de puntos a la semana. Al cabo de unas pocas semanas, le costaba no pasarse de los puntos asignados. Luego comprobó que un par de cucharadas de azúcar disueltas en agua al día le hicieron mucho más fácil seguir su régimen alimenticio. Las amigas con las que había empezado la dieta Weight Watchers la dejaron, pero ella continuó, y a finales de curso todavía se estaba adelgazando.

P.: *¿Puedo seguir con la dieta South Beach?*

R.: Sí. En un principio había pensado incluir un capítulo sobre los aspectos positivos de otras dietas populares, incluida la South Beach. Los tres aspectos positivos más importantes de esta dieta son:

- Puedes comer alimentos nuevos, que no tengan sabores familiares para ti, por lo que de momento todavía no estarán asociados con las calorías. (Sin embargo, a medida que te vas familiarizando con los nuevos alimentos, la dieta es menos eficaz.)

- Comes menos alimentos repetidos —alimentos que saben siempre igual— porque cocinas más y gran parte de los alimentos repetidos que sueles comer están prohibidos (por ejemplo: la comida basura).

- No comes alimentos con un alto índice glucémico, como el pan blanco y las patatas.

Estos tres cambios en la dieta hacen que baje tu *set point*. En el capítulo siguiente: «Crédito extra: seis formas más de perder peso», hablo detenidamente de cada uno de ellos.

P.: *¿Me estás diciendo que voy a tener que beber agua con azúcar o aceite de oliva durante el resto de mi vida?*

R.: No, una vez que hayas alcanzado tu objetivo puedes reducir la cantidad de agua con azúcar o de aceite que tomas. Una forma de disminuir la dosis es saltarse varios días, como hizo Sarah (véase figura 4, en la página 49). Sin embargo, debes seguir tomando el agua con azúcar o el aceite de vez en cuando, como hizo Tom Rogers («Intervalo: Profesor y alumno», páginas 89-90), de lo contrario recuperarás lentamente el peso perdido.

Sustitutos

P.: ¿Puedo utilizar un edulcorante sin calorías o bajo en calorías (como el aspartamo o la stevia) en lugar de azúcar?

R.: No. El agua con azúcar y el aceite te ayudan a perder peso porque te aportan calorías sin elevar tu *set point*. El agua endulzada con un edulcorante no calórico no tiene ese efecto. El agua endulzada con un edulcorante bajo en calorías apenas tiene ese efecto, por lo tanto apenas es eficaz.

P.: ¿Puedo usar miel en lugar de azúcar?

R.: Algunas personas que hacen la dieta Shangri-La han probado la miel en lugar del azúcar, con resultados variables. A algunas les va bien y a otras no. Si el sabor de la miel es nuevo para ti, debería funcionarte hasta que el sabor se asocie a las calorías. Si el sabor es suave, puede que tardes un tiempo. Incluso entonces, la asociación final sabor-caloría puede ser débil debido a que la fructosa, el principal azúcar de la miel, se digiere lentamente. Si quieres probar con la miel, te aconsejaría que primero empezaras con el azúcar normal. Cuando veas que la dieta te funciona de este modo, puedes cambiar a la miel y observar si te sigue funcionando. Para reducir el sabor tienes que diluir un poco la miel, utilizando al menos dos tazas de agua por cucharada de miel. Si empiezas pensando que el agua con miel tiene buen sabor, es una mala señal, porque significa que tu cuerpo ha aprendido a asociar el sabor de la miel con las calorías. Si el sabor de la miel se asocia con las calorías, subirá tu *set point*.

P.: *¿Puedo utilizar cápsulas de aceite de oliva?*

R.: Sí, puedes usarlas. Pero no es tan fácil. Una cápsula grande contendrá 1.000 miligramos de aceite de oliva, que equivale a sólo 9 calorías. Para conseguir 300 calorías al día, tendrías que tomarte 33 cápsulas al día.

P.: *¿Puedo tomar aceite de lino en lugar de aceite de canola, de cártamo o de oliva* extra-light?

R.: Puedes. Yo he probado dos marcas distintas de aceite de lino. Debo reconocer que las dos me han funcionado, pero el aceite de lino me parece más gustoso que el de oliva *extra-light*, el de canola o el de cártamo. Quizás al final acabes asociando su sabor a las calorías. Otra desventaja del aceite de lino es que es mucho más caro que los otros, unos 40 centavos por 100 calorías.

Por qué funciona

P.: *¿Por qué el cuerpo no aprende a asociar el dulzor del azúcar con las calorías?*

R.: No lo sé. Quizá sea porque lo dulce desempeña un papel dietético distinto de otros sabores. Los alimentos dulces tienen la curiosa característica de que saben *peor* cuando tenemos hambre que cuando no la tenemos.[45] Todas las verduras contienen azúcar; quizás a todos nos gusta lo dulce para que comamos más verduras. O quizá no asociemos lo dulce con las calorías porque lo dulce es un sabor tan común que ni nos damos cuenta de él, del mismo modo que dejamos de oír un ruido persistente.

P.: *¿La dieta Shangri-La actúa reduciendo el apetito o aumentando el metabolismo?*

R.: Respuesta breve: reduciendo el apetito. El metabolismo se ralentiza y te adelgazas. Respuesta larga: de ninguna de las dos formas. Actúa bajando tu *set point*. Generalmente tardarás aproximadamente un mes o más hasta que tu peso descendente alcance el *set point* también descendente. Cuando sucede esto, vuelves a tener apetito. Pero todavía funcionará porque tu *set point* seguirá estando muy por debajo de cuando empezaste.

Preguntas sobre la salud

P.: *¿Provoca caries el azúcar?*

R.: Se lo pregunté a Norman Temple, profesor de nutrición en la Universidad de Athabasca, Canadá, y coeditor de *Beverages in Nutrition and Health* (2002).[46] Me respondió que, aunque los alimentos que contienen azúcar provocan caries, el problema son los alimentos pegajosos, no el agua azucarada. «Con el agua azucarada, el azúcar no se queda en la boca tanto tiempo. No se queda enganchado en los dientes como el caramelo. La saliva lo diluye rápidamente. Se puede disolver con facilidad y se elimina mediante la saliva. Por consiguiente, el azúcar tiene muy poco tiempo para que las bacterias de la boca lo metabolicen, produzcan ácido y empiecen a comerse el esmalte.» Cuanto más diluida esté tu agua con azúcar (más agua por cucharada de azúcar), menos cantidad de azúcar estará disponible para las bacterias.

P.: *Tengo antecedentes familiares de diabetes. ¿Corro algún riesgo siguiendo esta dieta?*

R.: Las respuestas sobre los riesgos debe responderlas tu médico, revisando tu historial médico. Si eres diabético, deberías optar por el aceite, que no afectará a tus niveles de azúcar en la sangre.

Si temes que se pueda desarrollar una diabetes, recuerda que el riesgo de padecerla aumenta considerablemente con el peso. En un estudio, personas que tenían un índice de masa corporal (IMC) superior a 35 tenían ochenta veces más probabilidades de padecer diabetes que una persona con un IMC de 22 o menos.[47] En otro estudio se observó que las mujeres con un IMC entre 23 y 24 (que ni siquiera se considera sobrepeso) tenían cuatro veces más probabilidades de padecer diabetes que las mujeres con un IMC inferior a 21.[48] En un experimento realizado en Finlandia con personas que estaban al borde de la diabetes, se observó que los cambios en el estilo de vida que las ayudaron a perder 5 kilos redujeron sus posibilidades de ser diabéticas en los cuatro años siguientes en un 60 por ciento.[49] (Hay muchas páginas web, como nhlbisupport.com/bmi, que calcularán tu IMC [o BMI, en inglés].)

• • •

Generales

P.: *¿Esta dieta evita buscar en la alimentación compensaciones emocionales?*

R.: Ésta es una pregunta difícil de responder. He observado que sí ayuda a las personas a controlar su ansiedad por comer, comen menos y escogen alimentos que ellas mismas consideran más saludables. Creo que todavía está por demostrar si esta dieta reduce las ganas de comer debidas a la frustración o al estrés.

P.: *¿Es ésta otra dieta de moda?*

R.: Bueno, la dieta Shangri-La se basa más en estudios científicos (véase el apéndice: «La base científica que hay tras la teoría de la dieta», páginas 151-166) que la mayoría de las dietas. La ciencia suele ofrecer mejores soluciones que otros métodos para resolver problemas.

EN SHANGRI-LA

Pero aquí, en Shangri-La, reinaba una profunda calma.[50]

Horizontes perdidos

Tal como expliqué en la introducción, decidí llamar a este libro *La dieta Shangri-La* porque muchas personas dicen que esta dieta ha disminuido sus problemas con la comida. A continuación cito algunos ejemplos de conversaciones, *e-mails* y comentarios *blog*:

«*Antes de probarla, me sentía indefensa ante la comida. Las dietas nunca funcionaban. Era una adicción: no podía dejar de comer dulces, no podía dejar de comer comida basura. Ahora como cuando tengo hambre.*»[51]

«*Es maravilloso sentir que tengo el control de las cosas. Antes mi apetito me dominaba, después de comer estaba furioso y me sentía culpable.*»[52]

«*Ya no he vuelto a comer dulces a la hora de la comida. Y pocas veces lo hago en la cena. Ahora cuando veo algo dulce, lo miro y pienso: "¿Eso es todo, y encima no es bueno?, ¿a qué viene tanta historia?"*»[53]

«*Ya no siento aquella necesidad de comer que me impelía hacia la nevera o adondequiera que hubiese comida para empezar a comer... Eso ya no me pasa ahora que estoy bebiendo el agua con azúcar. Me ayuda a resistir esa tentación.*»[54]
«*[Mi] aumento de peso con los años poco ha tenido que ver con tener hambre, pero sí con mi insaciable necesidad de co-*

mer alimentos que engordaban, como pan y mantequilla, platos con salsas que llevaban nata, queso, helado, repostería y cosas por el estilo; era más bien una adicción a la grasa y a los hidratos de carbono. Seguir sus recomendaciones me ayuda a controlar estas necesidades, o supuestas necesidades, de comer cosas "malas"... El sábado me concedí comerme un helado, y me quedé totalmente satisfecho con dos bolas (una taza) de 240 calorías.»[55]

«Esta mañana he visto un trozo de **Good Morning America**... Había ido al gimnasio a eso de las 18.00 y cené a las 19.30. Generalmente, pico un poco antes de irme a la cama (palomitas de maíz, queso), y empecé a notar las ganas de comer típicas de después de cenar. Hice de tripas corazón y me tragué una cucharada de aceite de canola. Grasiento, pero insípido. Sinceramente, mis deseos y mi necesidad de comer desaparecieron por completo. ¡En un cien por cien! Y tengo que decir que esto no me había sucedido jamás.[56]

«La mayor diferencia que he observado [desde que empecé la dieta hace una semana] es que la comida basura —cargada de calorías y basada en alimentos procesados, que solía cantarme su seductor canto de las sirenas día tras día— ahora apenas me atrae.»[57]

«Me gustan las galletas y puedo conseguirlas en mi trabajo. Ése es mi problema. En estos dos primeros días, cuando sentía la necesidad de comer galletas, me bebía el agua. Eso suponía que me tomaba un par de cucharadas de fructosa al día en lugar de comerme una docena de galletas. El efecto ha sido que ahora como mucho menos azúcar.»[58]

«Antes andaba picoteando todo el día. Sobre todo, chocolate. Donde trabajo hay un buen suministro de esta materia. Pero desde que empecé esta dieta he dejado de comer chocolate... Sencillamente no me viene a la cabeza levantarme compulsivamente para ir a cogerlo, como hacía antes.»[59]

«Mi interés por el chocolate ha disminuido de manera espectacular, aunque no del todo. Generalmente, llevo una bolsa con chocolates varios, como "besos de chocolate [bombones]". Acababa una bolsa de 900 gramos de Hershey's Nuggets en un par de semanas. Ahora tardo bastante más en acabármela.»[60]

«El agua azucarada parece calmar la mayoría de mis deseos de comer (aunque todavía sólo han pasado dos días)».[61]

«Desde que estoy haciendo esta dieta, mis ganas de comer entre comidas han desaparecido, y por primera vez en mi vida puedo mirar las palomitas de maíz, el chocolate, las patatas chips, las patatas fritas, etc., y decir: "No tengo hambre" y pasar de largo.[62]

«Es sorprendente hasta qué punto se me han ido las ganas de picotear. No tengo el menor interés en ello.»[63]

«No me había dado cuenta de lo fuerte que era mi ansiedad nocturna de comer. Ahora cuando llego a casa ya no siento necesidad de andar comiendo constantemente.»[64]

«Lo mejor de todo es que ya no como fuera de horas. Antes siempre picoteaba cuando llegaba a casa después del trabajo y me ponía a cocinar.»[65]

«Había suprimido por completo los almidones de mi dieta para siempre (eso pensaba) porque no podía controlarme con el pan, las galletas, los bollos, etc. Ahora, de pronto, me doy cuenta de que puedo comer pequeñas cantidades de todas esas cosas sin pasarme. ¡Aleluya!»[66]

«Mi debilidad antes de iniciar la dieta de Shangri-La eran los hidratos de carbono basura —rosquillas, bollos, etc.—. Durante la primera o segunda semana observé que mi deseo de tomar hidratos de carbono se había reducido notablemente.»[67]

«Hace unas semanas me habría ido corriendo [al nuevo Starbucks]. Ahora, apenas tengo el menor interés en ir allí... ¡Qué alivio! Todavía como cosas deliciosas, pero ya no soy adicto.»[68]

«Este jueves se cumplirá la primera semana que sigo la dieta... Sigo comiendo "comida normal", pero no tengo ansiedad por comer y como mucho menos... Cuando llego a casa, no estoy hambriento, y por lo tanto no me paso comiendo.»[69]

«Empecé [hace seis días]... Me quedé sorprendido al ver lo pronto que controlaba mi apetito. Sigo teniendo ganas de comer, pero como sin ansiedad.»[70]

«Evito los postres y comer en exceso mucho más que antes de tomar la fructosa. Es la fructosa la que me quita la sensación de hambre incontrolada y evita que coma en exceso. Llevaba ocho años intentándolo sin éxito, pero con la fructosa lo he conseguido.»[71]

«Ahora hace una semana que tomo el aceite. Mi apetito ha cambiado. Yo era de esas personas que comían algo salado y enseguida necesitaban comer algo dulce. Era como un círculo de antojos inacabable. Ya no siento esa necesidad de picotear y de cambiar el sabor del tentempié que acabo de tomar por otro.»[72]

«La semana pasada una vecina me trajo un trozo de tarta de chocolate, y al final se estropeó. Se me olvidó que la tenía en casa. Nunca me había pasado algo así... No se trata de fuerza de voluntad. Sigo sin tener fuerza de voluntad. Sencillamente no me apetece comer esas cosas.»[73]

La dieta Shangri-La reduce la ansiedad por comer durante la noche:

«[Antes de esta dieta] a veces me despertaba por la noche y comía entre 500 y 1.000 calorías (a veces más)... No he comido nada después de cenar desde que empecé la dieta hace seis semanas, y no siento necesidad de hacerlo.»[74]

«Era adicta a comer por la noche: había adquirido un hábito, de forma que incluso cuando me quedaba dormida, me despertaba con deseos de comer algo, me volvía a dormir, y me volvía a despertar deseando comer, y así sucesivamente. Me levantaba a comer hasta tres veces durante la noche... La semana pasada entre las 21.00 y las 22.00 horas me tomé una cucharadita de aceite de oliva virgen extra. [Nota del autor: yo aconsejo aceite de oliva **extra-light** en lugar del aceite de oliva virgen extra; porque creo que este último puede dejar de funcionar.] Lo creas o no, me ha desaparecido mi ansiedad por comer durante la noche y estoy durmiendo mejor que en mucho tiempo.»[75]

«Me gustaba medir el tiempo observando cuánto tardaba en acabarme una caja de Yodels [bizcochos con crema y chocolate]. Pero ahora ni siquiera pienso en comérmelos. Normalmente, me los comía por la noche, pero ya no lo hago. Me he olvidado de ellos.»[76]

«La dieta funciona, es sencilla, como lo que me gusta, pero picoteo mucho menos, no como a media noche, ni lo echo de menos.»[77]

«Durante el día no tenía problemas, era de noche cuando tenía ganas de picotear. Desde que bebo el agua con azúcar, mis antojos parecen haber desaparecido.»[78]

«Ya no me levanto a comer por las noches, antes solía levantarme a comer galletas dulces o saladas, queso, etc. Ya no me apetece comer patatas fritas. He cortado con la comida basura.»[79]

La dieta Shangri-La ayuda a que la gente piense menos en comer:

«Los pensamientos constantes relacionados con la comida han desaparecido. Uno de mis problemas de siempre ha sido que no dejaba de pensar en comer... en lo que estaba comiendo, en cuándo, dónde y qué comería.»[80]

«Como para vivir, en lugar de vivir para comer.»[81]

«Me siento muy agradecida por no pensar constantemente en comida.»[82]

«He podido dejar de pensar en comida en momentos en los que he de trabajar, limpiar o jugar.»[83]

La dieta facilita hacer elecciones de comida más saludables:

«Cuando decido comer, elijo cosas que sean buenas para mí. Se acabó la comida basura.»[84]

«Ahora puedo tomar decisiones sobre cuánto he de comer para que mi cuerpo goce de buena salud.»[85]

«[Antes de esta dieta] me proponía que no iba a comer nada dulce, pero luego caía en la tentación, y me sentía culpable o me castigaba por ello. Ahora me como una manzana y ya estoy... La comida ya no me domina, soy yo quien tiene el control y tomo decisiones correctas.»[86]

Algunas personas dicen que la dieta les ha ayudado a apreciar más la comida:

«Veía la comida como algo negativo porque no dejaba de engordar. Ahora la veo como algo positivo.»[87]

«Cuando como dulces los disfruto mucho más, porque no los como constantemente. Aprecio todo su sabor.»[88]

6. Crédito extra:
seis formas más de perder peso

El agua azucarada y el aceite sin sabor entre las comidas deberían hacerte perder varios kilos sin esfuerzo. Puede que te ayuden a perder todo el peso que te habías propuesto, como me sucedió a mí, a mi cuñado y a otras personas.

Pero quizá quieras perder más kilos, o más deprisa, o reducir la cantidad de agua azucarada o de aceite que tomas. (Como escribió un *blogger*: «No estoy seguro de que quiera pasarme la vida tomando agua con azúcar o aceite entre las comidas».)[89] Afortunadamente, la teoría que me condujo a descubrir los efectos del agua con azúcar y el aceite (véase capítulo 3, «Una nueva teoría sobre el control del peso») sugiere muchas otras formas de adelgazar, seis de las cuales describo en este capítulo. Cada una de ellas es una manera diferente de bajar tu *set point*. Puedes considerarlas como un crédito extra: no son necesarias, pero ayudan.

Los seis métodos se basan en los mismos principios básicos: los alimentos con fuertes asociaciones sabor-caloría engordan más que aquellos en los que dicha asociación es débil, debido a que aumenta tu *set point*. Y por la misma razón, los alimentos con asociaciones sabor-caloría débiles engordan más que los que no tienen asociación alguna.

Método 1. Prueba alimentos nuevos

Los alimentos con nuevos sabores no tienen asociación sabor-caloría. Probar alimentos nuevos puede ser tan sencillo como comprar alimentos nuevos. En París me adelgacé porque bebí refrescos con sabores nuevos. Me gustan las mermeladas y gelatinas, pero evito comprar siempre el mismo sabor. En lugar de comprar siempre el mismo entrante congelado, prueba otro. Prueba otra sopa diferente. Cuando vayas a un restaurante, pide algo nuevo.

Los restaurantes que tienen menús que varían y platos especiales cada día facilitan esta labor. En el libro *French Women Don't Get Fat*, Mireille Guiliano escribe: «Mi trabajo me obliga a comer en restaurantes unas trescientas veces al año».[90] Si estas trescientas veces son en restaurantes diferentes y variados donde cambian mucho de menú, es poco probable que comas dos veces lo mismo. ¿Podría ser ésta la razón por la que no engordaba? Dori Greenspan, autora de *Paris Sweets*, un libro de cocina sobre la repostería parisina, le dijo a un entrevistador que «siempre había pensado que la [verdadera] paradoja francesa era la forma en que las francesas delgadas se toman los postres [en las cafeterías] tres veces al día y no se engordan».[91] Si comen muchos postres distintos en distintos cafés —algo fácil de hacer en París—, esto no es una paradoja.

La noción de que la novedad es importante es nueva en el mundo de las dietas. En calorielab.com, una página web sobre nutrición y adelgazamiento, un *blogger* escribió: «Creo que podemos decir con cierta seguridad que cosas como el Frappuccino Venti de Starbucks [café con chocolate acaramelado y con nata], de 730 calorías, no entra dentro de la dieta Shangri-La».[92] Pues no es así, no la *primera* vez que lo tomas. No pasa nada si te lo tomas sólo *una* vez. Esto no es mera especulación. No hace mucho fui a una cena especial en la que se celebraba el día en que la novela *Ulises*, de James Joyce, tiene lugar (Bloomsday, el 16 de junio, día festivo en Irlanda). La mayor parte de los platos eran irlandeses, como *corned beef* [carne en conserva] y col. No obstante, el postre era italiano: tiramisú, que normalmente se hace con huevos, azúcar, mascarpone, café, cacao y brandy o marsala. Sin embargo, la versión del Bloomsday era con Baileys Irish Cream como licor. Las porciones eran grandes; mi ración probablemente tenía varios cientos de calorías, pero su sabor no me era familiar. He comido tiramisú muchas veces y he bebido Baileys muchas veces. A pesar de todo, su combinación no me resultaba familiar, lo que significaba que quedaba clasificada como alimento nuevo. Al día siguiente no tenía apetito y comí muy poco, estoy seguro que fue debido a ese tiramisú especial. El tiramisú de Baileys tuvo el efecto contrario al que cabía esperar: bajó mi *set point*. Hizo que al día siguiente tuviera menos apetito de lo habitual y que comiera menos.

El apoyo de la idea de que las comidas con sabores nuevos ayudan a adelgazar se puede encontrar en *The Flavor Point Diet*, del doctor David Katz.[93] La dieta consiste en comer sólo un sabor en cada comida sin restringir las calorías. En la práctica, las personas que hacen esta dieta no comen más que alimentos nuevos con sabores a los que no están acostumbrados. Y funciona, al menos durante un tiempo: en doce semanas las personas que la siguen pierden unos 8 kilos de media. El libro no dice nada sobre lo que sucede después, cuando los alimentos se vuelven familiares.

Método 2. Cocina más

Lo contrario a los alimentos nuevos es la comida a la que estamos acostumbrados; y los alimentos que pueden resultarnos más familiares son los que siempre saben igual (yo los llamo alimentos *ídem*). Estos alimentos fabricados en masa suelen proceder de fábricas o restaurantes. Puesto que sus sabores son tan constantes, cuando los comemos repetidamente pueden producir una fuerte asociación sabor-caloría, mucho más fuerte que alimentos similares que varíen de sabor, como tu lasaña casera o una hamburguesa, que siempre varía un poco cada vez que lo haces. (Para aumentar el poder de este método, cuando cocino varío intencionadamente los sabores.)

Los alimentos *ídem* son las grandes fuentes de ingresos de la industria de los alimentos procesados. Abarcan alimentos de conveniencia (como entrantes congelados, cereales para el desayuno, zumos envasados); comida lista para comer, sopa en *brick*, comida basura (como refrescos, patatas chips y caramelos), comida rápida y la comida de las cadenas de restaurantes. Casi todos los alimentos que se venden envasados o que están procesados entran en esta categoría. No se trata sólo de comida «mala»; la comida «buena» también puede ser *ídem*. «Hace meses que cada día desayuno granola* con leche de soja», escribió una mujer que estaba probando mi dieta. «Al principio me sentía muy llena hasta la hora de comer. Ahora tengo hambre al cabo de un par de horas».[94] No cabe duda de que la granola era industrial en lugar de casera, por lo tanto siempre sabía igual,

---

* Cereales para el desayuno compuestos principalmente de avena seca y acaramelada, y lo que le añada el fabricante. Tiene una forma de copos aglutinados y desiguales como los de la marca Quaker. *(N. de la T.)*

como sucede con la leche de soja. Cuando probó por primera vez la combinación granola con leche de soja, no le resultaba familiar y actuaba como el agua azucarada y el aceite de sabor suave: bajaba su *set point*. Pero cuando los sabores se asociaron a las calorías, empezaron a engordarla. En el capítulo 7, «Cambiar el resto del mundo», explico por qué creo que la causa de la epidemia de obesidad de nuestros tiempos se debe al aumento de la comida *ídem*, o dicho de otro modo, a cocinar cada vez menos.

Las comidas caseras ni son máquinas ni empleados de restaurantes de comida rápida, que ejecutan al pie de la letra las instrucciones para que la comida siempre sepa igual. Por eso un plato cocinado en casa, aunque sea teóricamente el mismo, suele variar cada vez que lo preparamos, a diferencia de la comida procesada o la de los restaurantes de comida rápida. «Las personas que más éxito han tenido con la dieta —observa el doctor Arthur Agatston en *The South Beach Diet*— son las que prueban todas las recetas imaginables y sacan partido de todos los alimentos e ingredientes posibles... Un paciente inventó una nueva sopa que realizó con todas las verduras de hoja verde que encontró en su casa.»[95] Seguramente, el sabor de esa sopa variaría mucho de una vez a otra. (Y probando nuevas recetas, los pacientes del doctor Agatston también estaban siguiendo el método 1, «Probar alimentos nuevos».) Por desgracia, las sobras, son alimentos *ídem*; de modo que cuando cocines, haz sólo para una vez.

Sólo se vuelven adictivas las comidas que siempre saben igual. Por ejemplo, un artículo de Susan Sheehan publicado en el *New Yorker* en 1995 describía una familia de Iowa que vivía en el umbral de la pobreza y que parecía que se iban a quedar en bancarrota. Para ahorrarse sellos iban a pagar los recibos en persona. Sin embargo tanto el marido como la esposa consumían mucha Pepsi-Cola al día, ellos mismos se denominaban «pepsicólicos».[96] Cenaban casi cada noche en McDonald's. «Para mí, salir a cenar es casi tan necesario como pagar el recibo del agua», decía el esposo. Otros alimentos *ídem* producen conductas similares. Jill Ciment, en su encantadora memoria *Half a Life*, escribió que cuando iba al instituto quería ahorrar dinero para ir a Nueva York. Hacía trabajos extras, pero no podía ahorrar. «No derrochaba mi dinero... Pero sentía la necesidad de recompensarme por mi duro trabajo, comprarme una barrita de caramelo, la Coca-Cola gigante».[97] Cuando la cadena californiana de comida rápida de In-N-Out Burger abrió un nuevo restaurante en 1996, una de sus primeras clientas fue una compañera universitaria que se estaba especializando en educación sanitaria. «Me encanta esta cadena, he estado yendo a Atascadero siempre que he podido convencer a alguien que valían la pena las tres horas de camino —le dijo a un periodista—. Ahora tenemos uno aquí y estoy en el cielo.»[98]

La Pepsi, McDonald's, las barritas de caramelo, la Coca-Cola, las cadenas de restaurantes de comida rápida y todas las comidas *ídem*. El doctor William Jacobs, profesor de psiquiatría de la Facultad de Medicina de la Universidad de Florida, me dijo que los adictos a la comida que ha conocido suelen ser adictos a los refrescos, a los helados, y a ciertos alimentos de comida rápida, como la pizza y las hamburguesas, es decir, todos alimentos *ídem*.[99] Nunca había visto a nadie adicto a las hamburguesas o a la pizza caseras. También había conocido personas adictas al té helado (con mucho azúcar). El té helado era tanto comercial como casero; es tan sencillo de hacer que incluso preparado en casa puede saber exactamente igual (sobre todo si utilizas una mezcla de tés). Las comidas adictivas lo son porque producen placer, y eso lo consiguen debido a su fuerte asociación sabor-caloría: el sabor tiene que ser exactamente el mismo cada vez que comes el alimento.

Método 3. Añade sabores al azar

Una forma poco habitual de variar el sabor de tu comida es *añadir varios sabores elegidos al azar*. Una forma de hacerlo es tener diferentes especias —albahaca, comino, canela, cilantro, eneldo, ajo en polvo, jengibre, mostaza, pimentón dulce, nuez moscada, orégano y tomillo— y aderezar las comidas con unos cuantos de ellos cada vez, seleccionados al azar. Puesto que la combinación será cada vez diferente, la comida nunca sabrá igual. El doctor Alan Hirsch, un neurólogo de Chicago, hizo un estudio que sugería que esto puede funcionar.[100] Dio a sus pacientes diferentes sabores para que condimentaran sus comidas: dos sabores cada mes durante seis meses. Queso *cheddar* (para las comidas sabrosas) y coco (para los dulces) fueron los dos primeros, cebolla (sabrosas) y menta piperita (dulces) los dos siguientes, rábano picante (sabrosas) y plátano (dulces) los terceros, y así sucesivamente. Puesto que los alimentos en los que se rociaban estos sabores ya tenían sabor, esto debió producir una nueva combinación de sabores. La novedad proseguía porque los sabores cambiaban cada mes. Durante los seis meses que duró el experimento, los sujetos perdieron una media de 15 kilos. Las personas del grupo de control siguieron una dieta tradicional y aumentaron un poco de peso.

Puedes dar los primeros pasos en esta dirección añadiendo simplemente una variedad de condimentos a cualquier comida *ídem*. Estas comidas, en lugar de saber igual, sabrán diferente cada vez y por lo tanto engordarán menos. En el capítulo 7, donde trato sobre la prevención, hablo de esto con mayor profundidad. Este método sorprende a muchas personas, por lo que quiero aclarar que estoy diciendo que si le añades canela a tu pizza engordará menos, al menos la primera vez que lo hagas.

Método 4. Come una cosa cada vez

Mi teoría es que algunos alimentos engordan por la combinación de sus elementos; sus ingredientes ingeridos por separado no engordarían. Me he tomado una dosis de sándwiches de *pastrami*,* por ejemplo. Tienen muy buen sabor, lo que es un indicativo de que el pastrami ya ha sido fuertemente asociado a las calorías. Sin embargo, un sándwich de *pastrami* no contiene muchas calorías debidas a la carne especiada. Cuando como un sándwich de *pastrami*, tanto la carne como la mostaza producen una fuerte señal de sabor; el pan, que tiene calorías que se digieren rápidamente, produce una señal calórica rápida y grande. La combinación de ambos produce una fuerte asociación sabor-caloría (véase capítulo 3, «Una nueva teoría sobre el control del peso», para la explicación). El *pastrami* comido solo no tendría este efecto: no produce una señal de caloría fuerte y rápida. Puesto que el *pastrami* solo y el pan solo producirían asociaciones sabor-caloría más débiles, comerlos por separado (el *pastrami* a las 13.00 horas y el pan a las 14.00) engordaría menos (es

---

* Plato judío compuesto por carne vacuna ahumada y fuertemente especiada. *(N. de la T.)*

decir, no subiría tanto el *set point*) que si los comiéramos juntos. (Yo no lo hago; es sólo un ejemplo para explicar este punto. En un sándwich de *pastrami*, la carne y el pan son dos partes del mismo plato. La idea general es que dos platos en uno —*roast beef* y puré de patatas, por ejemplo— pueden actuar del mismo modo. Comiendo los platos en distintos momentos, no se produce tanto lo que yo llamo *condicionamiento cruzado*, y las asociaciones sabor-caloría que se crean son débiles.

Este método de perder peso fue descubierto por personas que no conocían mi teoría. Tiene un nombre curioso: *compatibilidad alimentaria*.[101] *Separación alimentaria* sería más exacto, porque tiene reglas como «No comas grasas con las proteínas» y «No consumas almidones con azúcares». Esta idea se dio a conocer gracias al *best seller La Anti-Dieta* de Harvey y Marilyn Diamond [Urano, Barcelona, 1990]. Los libros de la popular Suzanne Somers también tienen este enfoque. Estoy seguro de que funciona, no es tan difícil de hacer. Un amigo italiano acudió a un experto en dieta de Milán que le dio un plan para perder peso en que sólo le permitía comer un tipo de alimento en cada comida.[102] Lunes al mediodía: verduras. Lunes por la noche: proteínas. Martes al mediodía: fruta, y así sucesivamente. Fue muy eficaz. En cinco meses mi amigo perdió unos 32 kilos, pero luego volvió a recuperarlos lentamente, porque la dieta era muy difícil. Cuatro años más tarde volvió a empezar esa dieta y volvió a perder 32 kilos. Luego la dejó y volvió a recuperar su peso. Dejar de fumar es más fácil que hacer dieta, según él.

Supongo que otras versiones menos extremas son más útiles. Los franceses comen platos diferentes durante una comida. Las verduras se comen separadas del plato de carne, por ejemplo;

puede que entre ambos platos dejen pasar unos veinte minutos. Esta forma de comer tiene el agradable efecto secundario de que es más fácil preparar las comidas, puesto que no es necesario tener varios platos preparados a un mismo tiempo.

Método 5. Comer alimentos que se digieran lentamente

En el capítulo 3, he hablado de por qué la comida que se digiere lentamente produce asociaciones sabor-caloría más débiles. En la práctica, hasta que podemos medir convenientemente las señales calóricas producidas por las grasas y las proteínas, comer alimentos que se digieren lentamente significa comer más alimentos con bajo índice glucémico, y menos alimentos con un índice glucémico alto (véase tabla).

∴∴

El índice glucémico

El índice glucémico (IG) de un alimento te dice la rapidez con la que digieres los hidratos de carbono. IG alto = digestión rápida. IG bajo = digestión lenta. Para los alimentos que son principalmente hidratos de carbono, el IG es una buena medida de la velocidad de la digestión. Los valores de IG de muchos alimentos se pueden encontrar en www.mendosa.com/gilists.htm. Una base de datos donde también se puede buscar es www.glycemicindex.com. Hay varios libros buenos sobre cómo hacer esto, como The New Glucose Revolution (2003), de Jennie Brand-Miller y colaboradores.[103] Como ya he dicho antes, cuando hice esto perdí 3 kilos. No fue gran cosa, pero me resultaba tan fácil seguir comiendo de este modo que no volví a recuperarlos.

Alimentos con IG alto	Alimentos con IG bajo
La mayoría de los panes	Albaricoques secos
Dátiles	Uva
Arroz inflado	Cerezas
Puré de patata en polvo	Alubias negras
Patata al horno	Lentejas

Las dietas bajas en hidratos de carbono «malos» y ricas en hidratos de carbono «buenos» funcionan bastante bien. Creo que se debe a que sustituyen los hidratos de carbono que se digieren rápido (alimentos con alto índice glucémico), como el pan, las patatas y los dulces, por alimentos de digestión lenta, como las grasas, las proteínas y los hidratos de carbono de bajo índice glucémico como las verduras de hoja verde. Los alimentos que se digieren lentamente tienen asociaciones sabor-caloría más débiles que los que se digieren rápidamente, y por lo tanto suben menos el *set point*.

Método 6. Come alimentos con menos sabor

Los sabores débiles, al igual que los alimentos que se digieren lentamente, nunca están demasiado asociados con las calorías (véase capítulo 3, página 51, para más detalles). Esto hace que las comidas con sabores débiles —yo las llamo *alimentos delicadamente sabrosos*— engorden menos que las otras. No es fácil comer suficiente de estos alimentos para perder bastante peso. Intenté comer pescado solo —sin aliño— y lo dejé después del primer intento. Con el *sushi* era más fácil, perdí peso con mi dieta de *sushi*. Pero también me costaba comer *sushi* cada día, por no hablar de lo caro y poco inteligente de esta dieta, debido al mercurio que contiene el atún. Creo que muchas bebidas sustitutas de las comidas como Slim-Fast son eficaces porque no tienen mucho sabor. Sustituyen a alimentos que tienen sabores más fuertes. También hay otros alimentos delicadamente sabrosos que son bastante más baratos (véase la tabla «Algunos alimentos delicadamente sabrosos» a continuación).

Algunos alimentos delicadamente sabrosos

Requesón

Tofu

Arroz blanco

Bacalao y otros pescados blancos

Nigiri sushi (pescado crudo sobre arroz blanco) sin *wasabi*

Comer alimentos con poco sabor es difícil, pero es más fácil comer alimentos con *menos* sabor. «Basta con no utilizar la sal, el edulcorante o la salsa que suelo utilizar —escribió una persona que seguía la dieta Shangri-La—. Lo siguiente que me sucede es que no me puedo acabar la comida que tengo en el plato. No puedo vivir comiendo alimentos insípidos, pero de vez en cuando es una gran ayuda.»[104]

Tras el agua con azúcar y el aceite, la idea básica de Shangri-La es que los alimentos más eficaces para perder peso son los insípidos. Timothy Beneke, un escritor californiano de Oakland, utilizó esta idea de una manera nueva.[105] En 1999, pesaba 127 kilos. Su médico le dijo que era casi diabético. Muy motivado por esta advertencia, empezó a poner en práctica mis primeros métodos para adelgazar (comer menos comidas procesadas, alimentos con bajo índice glucémico y alimentos insípidos) de 127 kilos pasó a 113. Cuando le dije que yo había adelgazado bebiendo agua con fructosa, también empezó a hacerlo. Se tomaba seis cucharadas diarias de fructosa, y perdió cerca de 23 kilos en nueve meses. Sin embargo, cuando llegó a los 90 kilos empezó a recuperar peso. Le advertí que en la dieta Shangri-La a veces era posible excederse —había perdido más peso de lo que podía admitir su cuerpo, tal como he mencionado en el capítulo 4, «Cómo seguir la dieta Shangri-La»—, pero él interpretó su aumento de peso como que el agua con azúcar había dejado de funcionar. Dejó de tomársela y volvió a subir a 113 kilos.

Cuando le conté los buenos resultados que había obtenido con el aceite de oliva *extra-light*, lo probó. Tomó tres cucharadas de aceite de oliva *extra-light* al día, y perdió peso paulatinamente hasta llegar a los 95 kilos. Cuando llegó a ese peso, volvió su apetito y empezó a tener problemas para mantenerse. Pero no quería aumentar su dosis diaria de aceite de oliva *extra-light* ni volver al agua con azúcar.

Para conseguir una fuente de más calorías sin sabor, Tim combinó «verduras y frutas licuadas mezcladas con un polvo de arroz integral, harina de almendra, harina de semilla de lino, leche en polvo descremada, garbanzo en polvo, harina de patata y proteína de soja en polvo» (esta descripción procede de su escrito en la web). Coció la mezcla hasta que se hizo lo suficientemente densa como para hacer pequeños terrones, luego utilizó una cucharita para hacer bolitas que se tragaba a modo de pastillas. Cada vez que tenía hambre se tomaba algunas de estas píldoras, las suficientes para calmar su apetito. También comía con normalidad (comida normal en un restaurante, por ejemplo), y siguió bebiendo el aceite de oliva *extra-light*.

Esta mezcla le funcionó, en el aspecto de que Tim no volvió a engordar. «Ingiriendo el 25 por ciento de mis calorías con la mezcla y el aceite de oliva sólo conseguí mantenerme en 95 kilos durante diez meses», escribió. Pero no perdió más peso. Al cabo de diez meses más aumentó la dosis de la mezcla ingiriendo de ese modo el 75 por ciento de sus calorías, y volvió a adelgazar. En cinco meses, de 95 kilos pasó a 81, lo cual le complació mucho. En diciembre de 2005 hacía siete meses que se mantenía con 81 kilos, ingiriendo un 40 por ciento de sus calorías a través de la mezcla que él había fabricado.

Tim Beneke utilizó mi teoría de una forma novedosa para perder *más* peso de manera sostenible después de haberla utilizado para perder los primeros 36 kilos. Esto constituye un excelente apoyo para la teoría. Dado que los métodos de este capítulo se basan en esta teoría, mientras más podamos creer en ella, más podremos creer que los métodos funcionarán.

El método de Beneke es extremo, pero le ha dado grandes resultados. Sin duda es mucho mejor —más barato, seguro, fácil de conseguir y probablemente más sostenible— que ninguna otra solución extrema, como una cirugía de *bypass* gástrico.

Si tuviera que perder 100 kilos...

Si yo tuviera que perder 100 kilos, lo primero que probaría, además del agua con azúcar y el aceite, sería condimentar al azar todas mis comidas, especialmente las *ídem*. También cocinaría todo lo que pudiera, sustituyendo la comida *ídem* por comida casera y variando de especias. Pero los otros métodos también son eficaces: cuando puedo, separo ciertos alimentos; llevo años evitando comidas con un índice glucémico alto; me gusta el *sushi* para comerlo de vez en cuando, y cuando se me pone por delante un postre de los que se te saltan los ojos, me lo como felizmente.

LA BLOGOSFERA HACE LA PRUEBA

Después de que apareciera una columna *Freakonomics* sobre la dieta Shangri-La en *The New York Times Magazine* (11 de septiembre de 2005), Stephen Dubner y Steven Levitt, los columnistas, tuvieron la amabilidad de invitarme a un *blog* en www.freakonomics.com.[106] Sucedió algo inesperado: la gente empezó a escribir relatando sus experiencias con la dieta. El primer comentario fue muy negativo:

«*Ayer probé una cucharada de aceite de oliva virgen extra y hoy de aceite de canola... Ninguno de los dos calmó mi apetito. Comí lo mismo que de costumbre en las siguientes comidas.*»[107]

Pronto se volvieron muy positivos:

«*No necesito adelgazar, pero he de confesar que esto del agua con azúcar hace milagros.*»[108]

«*¡Guau! Casi apetito cero... Ridículamente sencillo, barato y eficaz. ¡Qué regalo de Dios!*»[109]

«*He perdido casi 3 kilos en cinco días, a pesar de comer mejor que en años... Para mí, el debate ha concluido. Nunca había perdido peso de un modo tan eficaz. Ni siquiera cuando seguía una dieta de alimentos crudos o cuando nadaba cuatro horas a la semana.*»[110]

«Cuando empecé pesaba 102 kilos. Ahora peso 100. No está mal para nueve días... Mi dieta es variada y nutritiva como siempre, quizá más.»[111]

«He perdido un kilo y medio en diez días. No es demasiado, pero adelgazar despacio y de una manera estable creo que es bueno.»[112]

«Sus conclusiones sobre el azúcar de fructosa son correctas en lo que respecta al dinero. He perdido unos 10 kilos hasta el momento.»[113]

También hubo algunos fracasos:

«He probado el agua con fructosa durante tres o cuatro días ¡y he ENGORDADO UN KILO Y MEDIO! A los 45 o 60 minutos de bebérmela ¡tenía un HAMBRE VORAZ!»[114]

«He probado este régimen durante unas dos semanas y no he obtenido resultado alguno. He estado bebiendo 250 calorías de fructosa disuelta en un litro de agua... No he engordado, pero tampoco he perdido.»[115]

Bill Q. escribió en freakonomics.com: «He seguido la dieta durante tres días. He perdido 3,5 kilos. No he pasado hambre en ningún momento, ni tampoco he tenido ansiedad por comer». Añadió que colgaría sus resultados posteriores en su blog «dando por supuesto que el programa era un éxito».[116] No volvió a colgar nada, lo que indica que le había ido mal.

Tras mi período en freakonomics.com, Ann Hendricks colgó el *blog* de la dieta Shangri-La de Annie (annhendricksshangrila.blogspot.com) para que la gente que la probara pudiera compartir sus experiencias. En enero de 2006 ya hay unos doscientos comentarios. Entre ellos se cuentan las historias de nueve personas:

De Benci empezó con 84 kilos, perdió cuatro en ocho semanas, haciendo sólo cambios que «creo que me permitirán seguir esta dieta durante mucho tiempo».[117] Utilizó con éxito agua con miel en lugar de azúcar.

Emily empezó con 125 kilos. En siete semanas perdió poco más de 6 kilos. «Es muy interesante sentir que tengo algún tipo de control sobre mi peso. Antes había probado las dietas estándar y hacer ejercicio, y siempre tenía hambre y me sentía frustrada.»[118]

Julie no tuvo mucha suerte. Perdió unos pocos kilos al principio, pero luego dejó de perder. Al final, «dejé de beber el agua con azúcar porque notaba que no me funcionaba. Recuperé el peso que había perdido».[119]

Leftblanc empezó con 102 kilos. En once semanas, perdió 11 kilos.[120] (Véase página 131 para saber más sobre esta experiencia.)

Masa'il (la propia Hendricks). Empezó con 87 kilos, bajó a 80 (7 kilos menos en once semanas). La dieta, según su experiencia es «irreemplazable hasta el momento: ninguna otra cosa me ha ayudado tanto».[121]

Michelle empezó con 77 kilos. En cinco semanas perdió 6,5 kilos. «Sin duda elijo mejor lo que como —escribió—. La comida sigue atrayéndome mucho, pero ahora tengo preferencia por la buena comida y las raciones adecuadas. Lo consigo no sin esfuerzo y no me es especialmente fácil, pero lo veo posible.»[122] Empezó a sentir escepticismo, aunque mantenía las esperanzas, después de dejar la rutina de la dieta Shangri-La durante unos días y de que su hambre regresara. Sin embargo, volver a la dieta no dominó inmediatamente su apetito.

Molly escribió al cabo de dos semanas: «¡Caray, esta dieta me hace tener tantas esperanzas que casi me asusta! He luchado contra mi peso durante toda mi vida, y la idea de que pueda llegar a mi peso ideal y mantenerlo es... bueno, la palabra milagroso no deja de repetirse en mi mente. ¿Sin medicamentos peligrosos? ¿Sin restricciones como no tomar hidratos de carbono o grasas? ¿Sin pasar un hambre atroz? ¿Y encima puedo comer comidas sabrosas? Me rompe todos los esquemas». A las tres semanas había perdido casi 3 kilos y escribió: «Todo lo que pensaba antes sobre adelgazar, dietas y nutrición me parece innecesario a la luz de esta nueva experiencia». El comentario más reciente que tengo de ella es: «He perdido 5,5 kilos [en ocho semanas; había empezado con 70 kilos], luego me fui de vacaciones durante dos semanas y (estúpidamente) recuperé 3 kilos, de los cuales ya he vuelto a perder 1,5 (en 4 días). La dieta es muy útil para controlar lo que comes mientras intentas adelgazar —escribió—. Y estoy muy agradecida».[123]

El primer comentario que colgó Sarah fue que había estado «haciendo la dieta durante casi dos semanas. Es como un sueño... Me encuentro de maravilla, tengo energía para hacer ejercicio durante más de una hora y estoy realmente entusiasmada de que funcione tan bien. He perdido casi 2 kilos, y es fantástico ya que estoy intentando perder los últimos 7 kilos de una pérdida de peso de 45 kilos, y hasta ahora no había conseguido bajar ni un solo gramo». Perdió peso paulatinamente. Tres semanas después de este comentario escribió: «No tengo nada más que decir salvo que he estado perdiendo peso gradualmente, de un modo un tanto aburrido, sin tener que hacer mucho esfuerzo, lo que por supuesto es extraordinario y no tiene precedentes para mí».[124]

SFC empezó con 83 kilos, y en casi tres meses perdió poco a poco 8 kilos. «He perdido peso casi sin esfuerzo —escribió—. Mi ansiedad por comer ha disminuido, mi apetito también, y ahora muy rara vez como más de 2.000 calorías al día, mientras antes de empezar con la dieta eso era lo mínimo que consumía.»[125] Después de mandarme el e-mail, hablé con él por teléfono. Me comentó que había adelgazado sin hacer ejercicio, al menos sin hacer ejercicio expresamente para adelgazar. Durante las primeras ocho semanas, había ingerido hasta 500 calorías diarias de agua con fructosa, luego se pasó al aceite de oliva *extra-light*. El aceite le fue tan bien como el agua.

Los resultados han sido tan sistemáticamente positivos que Hendricks acabó pidiendo a la gente que colgaran otros comentarios.

«Conseguir conocer todo el alcance de las experiencias sin duda sería la mejor forma de explorar este asunto... ¿Algún fracaso o algún "éxito menos espectacular"»?[126]

Después de esto, dos personas escribieron:

Robert F. escribió que había «probado la dieta durante dos meses con resultados mínimos».[127] (Creo que su dosis de agua azucarada no era suficiente para que pudiera superar su «necesidad de comer hidratos de carbono».)

Agnóstico escribió: «Adelgacé 2,25 kilos en tres semanas, [pero] no he adelgazado [más] en un mes».[128]

Al poco tiempo de la columna de *Freakonomics*, calorie-lab.com, un sitio web independiente sobre nutrición y peso, colgó un largo artículo sobre la dieta. Lo esencial: «Si tuviéramos que crear el último estereotipo de la extravagante dieta de moda para utilizarlo en una novela o película cómica, la dieta Shangri-La se llevaría el premio». Sin embargo, «no estamos necesariamente diciendo que no vaya bien». El artículo hablaba de las ideas sobre las que se basaba y añadía que «suponemos que decidió confeccionarla [la teoría sobre la que se funda la dieta] para justificar haber desarrollado un programa para adelgazar mientras trabajaba como profesor de psicología».[129] De hecho, la teoría fue primero.) Entonces empezaron los comentarios de éxitos como respuesta al artículo de CalorieLab:

«Hace dos semanas que estoy con la dieta del aceite... He perdido 1,5 kilos. Pesaba 76 kilos, y mido 1,80 metros... El apetito me ha disminuido mucho. No necesito demasiada fuerza de voluntad para tomar raciones más pequeñas. Picotear después de una comida muy pequeña es ahora algo opcional.»[130]

CalorieLab observó que las personas comían por otras razones aparte del apetito, por lo tanto «un sistema como el de Roberts, que supuestamente suprime las ansias de comer, no funcionará a largo plazo, cuando el entusiasmo inicial de la dieta se haya apagado». Una de las personas que habían tenido éxito respondió:

«Separar, a través de esta dieta, las ansias de comer de otras motivaciones para comer ha sido muy aleccionador. Las otras motivaciones son mucho más claras... Son más fáciles de controlar, porque ya no hay ansias de comer.»[131]

Las historias de éxitos continuaron:

«Tengo 54 años, mido 1,73 metros, soy posmenopáusica y peso 66 kilos. Hace diez días que sigo esta dieta y he perdido 2 kilos... Estoy encantada con mi actual pérdida de apetito.»[132]

«Hace casi un mes que estoy siguiendo la dieta "Shangri-La" y funciona de maravilla. Ha suprimido mi ansiedad por comer y siempre que como tengo el registro de "estómago satisfecho".»[133]

CalorieLab respondió: «Recuerda: toda esta dieta puede ser una tontería y es posible que no funcione». Pero entonces:

«Hace tres semanas que sigo esta dieta y... he perdido 5 kilos, y ha sido fácil.»[134]

«He de decir que funciona. La he probado durante dos semanas... He perdido la grasa que me sobraba de la cintura y que se me quedó allí almacenada después de tener tres hijos.»[135]

Un fragmento del programa de televisión *Good Morning America*, del 14 de noviembre, sobre la dieta desencadenó un sinfín de preguntas que CalorieLab respondió pacientemente, añadiendo: «Pensamos que no es más que una dieta de moda absurda». Las historias de pequeños éxitos prosiguieron:

«Hace tres días que sigo las pautas de la dieta Shangri-La... Parece que funciona como reductor del apetito.»[136]

«Mi médico de familia me recomendó que probara esta dieta como una alternativa más segura a adelgazar con medicinas... El aceite de oliva ayuda a aumentar el colesterol HDL (bueno). Por eso, aunque no te ayude a adelgazar, tiene algunas otras ventajas. Hace una semana que tomo el aceite y mi apetito ha disminuido.»[137]

Leftblanc, que había colgado muchos comentarios en el *blog* sobre la dieta Shangri-La de Annie, dijo a los lectores de calorielab.com: «Empecé a hacer esta dieta el 12 de septiembre... Mido 1,80 metros y pesaba 102 kilos. Ahora peso 93» (23 de noviembre).[138] CalorieLab respondió: «¿Has probado alguna otra dieta más tradicional en la que se cuenten las calorías y no hayas sido capaz de seguirla?... Sospecho que el agua o que el agua caliente en sí misma tiene un efecto supresor del apetito por el mero hecho de que te llena el estómago», y siguió sugiriendo planes más tradicionales para adelgazar («evita la comida rápida , la comida de restaurante y la comida envasada, por sus muchas calorías»). Ésta es parte de la respuesta de Leftblanc:

«¿Por qué tengo que evitar la comida de restaurante? Vivo en Nueva York, donde se encuentran algunos de los mejores res-

taurantes del mundo... Esta dieta me permite adelgazar con el mínimo esfuerzo (y apetito). Es mucho más fácil que contar calorías. No es que en todos estos años no supiera que un donut de mermelada tiene muchas calorías [durante los siete años que pesaba 102 kilos], pero me lo comía de todos modos.»[139]

Stephen M. se unió a la discusión:

«No me cansaré de repetir el espectacular cambio que he experimentado respecto a mi relación con la comida. Estoy aprendiendo a pensar y a actuar con normalidad.»[140]

Empezó con 108 kilos, y dijo haber perdido 7 kilos a las cinco semanas. Otro éxito más:

«Soy una mujer de 52 años, mido 1,52 metros. Llevo haciendo la dieta Shangri-La desde el 17 de septiembre de 2005, y de los 74 kilos que pesaba entonces he pasado a 65 kilos en el día de hoy»[141] [28 de noviembre. Había perdido casi 9 kilos en once semanas.]

Aunque la mayoría de los comentarios han sido positivos, también los ha habido negativos. El 23 de diciembre, Imtiaz escribió:

«Ahora hace ocho días que estoy tomando el aceite y no he observado ningún cambio en mi apetito.»[142]

Hasta ahora a la Blogosfera le gusta la dieta, y mucho. Quizá las personas tiendan más a comentar sus éxitos que sus fracasos, pero es un comienzo muy prometedor.

7. Cambiar el resto del mundo

Cuando llegué a Estados Unidos, no sabía ni una palabra de inglés. Bueno, sabía decir «hola», «gracias», «adiós», y por alguna oscura razón conocía la palabra «glotonería».[143]

Khaled Hosseini, autor de *The Kite Runner*

En el año 2001 habrá superado tantos problemas físicos que... una mujer tendrá un cuerpo flexible y espléndido para toda su vida.[144]

1967, Nota de Diana Vreeland (*Vogue*, redactora jefe)

Cuando entiendes lo que causa un problema, es mucho más fácil remediarlo. También es cierto lo contrario: si puedes resolver un problema es que entiendes lo que lo ha provocado. El agua con azúcar y el aceite de sabor suave no sólo ayudará a adelgazar a quienes lo necesiten, sino que les enseñará las causas de su obesidad y cómo prevenirlas.

Este capítulo trata de la prevención. Los capítulos anteriores han descrito soluciones bastante sencillas y claras y que se pueden empezar mañana. Aquí hablaremos de las soluciones, que requieren más esfuerzo, paciencia, persuasión y reflexión.

Un principio básico para resolver el problema es que las fuerzas que podemos crear, las que podemos controlar completamente, las que podemos conectar y desconectar a voluntad, suelen ser mucho más débiles que las fuerzas que ya existían que no podemos conectar ni desconectar cuando queremos, sino que se limitan a señalar una única dirección. Cuando tenemos que resolver un problema, podemos hacer algo con el único fin de solucionarlo (el enfoque directo), o podemos modificar lo que íbamos a hacer de todos modos por otras razones (el enfoque de la fuerza ya existente). Si necesito un dentífrico, por ejemplo, puedo ir a la tienda (ex profeso) a comprarlo, o esperar a tener que salir a la calle para hacer un recado que esté cerca de la tienda (fuerza existente). Para hacer más ejercicio, puedo ir al gimnasio (ex profeso), o puedo empezar a ir a pie al trabajo en lugar de tomar el autobús (fuerza existente: ya iba a trabajar de todos modos). Este capítulo trata de cómo dos poderosas fuerzas existentes —los maestros y la industria alimentaria— pueden ayudar a evitar la obesidad con las ideas que aparecen en este libro. En mi página web (www.sethroberts.net), hablo un poco sobre lo que pueden hacer los padres.

¿Qué ha provocado la epidemia de obesidad?

Para hacer algo contra la epidemia de obesidad, es conveniente saber qué la ha provocado. En 1962, gracias a una gran encuesta se descubrió que el 13 por ciento de los estadounidenses adultos eran obesos. En 1980, ese porcentaje era del 14 por ciento, es decir, prácticamente el mismo.[145] En 1993, sin embargo, era del 22 por ciento, y en el año 2000 del 30 por ciento, un aumento desproporcionado. Entre 1980 y 1993 empezó a suceder algo que hacía engordar a las personas.

¿Qué podía ser? Se suele culpar a la falta de ejercicio, comidas muy grasas, los refrescos y cantidades de comida excesivas, pero hay muchos otros factores. En *Food Fight* (2004), de Kelly Brownell y Katherine Horgen, se señalan varias causas: la televisión, los videojuegos, los ordenadores, comer fuera de casa, comer entre horas y «la moda de comer en exceso».[146] No obstante, la evidencia para la mayoría de estas causas dista mucho de ser convincente.

El gran aumento de la obesidad después de 1980 es poco probable que se deba a la falta de ejercicio. En primer lugar, no hubo un descenso notable en la práctica de ejercicio por parte de la gente. El número de horas delante del televisor aumentó un 45 por ciento desde 1965 hasta 1975, sin embargo, el índice de obesidad no era mucho mayor en esa época; desde 1975 hasta 1995, cuando se disparó la obesidad, el número de horas delante del televisor había aumentado muy poco.[147] En segundo lugar, si la falta de ejercicio fuera una de las grandes causas de la obesidad, hacer gimnasia sería una buena forma de adelgazar, y no lo es. Salvo que seas una persona totalmente sedentaria, es difícil que pierdas mucho peso sólo haciendo ejercicio. Oprah Winfrey nos dio una prueba de ello sin pretenderlo cuando empezó a correr medios maratones. Había tenido que estar en muy buena forma en otro tiempo para poder hacer tanto ejercicio y tan intenso y poder adelgazar todo lo que ella quería. En la década de 1950, los estadounidenses eran mucho más delgados que ahora, pero no porque fueran más activos; en todo caso, era justo lo contrario. El Consejo Presidencial sobre Forma Física se creó en 1956 para remediar una alarmante falta de buena forma física entre la población.

La epidemia de obesidad es poco probable que se deba a una dieta alta en grasas. En la década de 1950, los estadounidenses no hacían dietas bajas en grasas, y estaban mucho más delgados. Otra razón para dudar de que la comida alta en grasas sea una causa común de la obesidad es que las dietas con pocas grasas no ayudan mucho a perder peso. Después de un año, la mayoría de personas sólo pierden unos pocos kilos.[148]

Tampoco es probable que la epidemia de obesidad se deba a comer más cantidad de alimentos. Desde 1976 hasta 1996, la ingesta de calorías en el desayuno, la comida y la cena aumentó sólo un poco, si es que realmente aumentó; pero sí que hubo un gran aumento en la costumbre de comer a deshoras.[149] Las raciones de los restaurantes ahora son más grandes que antes, pero creo que más bien es un efecto de la obesidad, no la causa. Las raciones de los restaurantes no eran más generosas durante los tres meses que perdí 16 kilos, pero a mí me parecían enormes. Mi metabolismo se había vuelto más lento. La gente engorda porque su metabolismo se acelera. Come más y necesita raciones más grandes.

Entonces, ¿qué ha provocado la epidemia de la obesidad? La teoría en la que se basa la dieta Shangri-La es muy clara (véase capítulo 3, «Una nueva teoría sobre el control del peso»). Los alimentos que más engordan son los que tienen las cuatro propiedades siguientes:

- Mucho sabor.
- Calorías que se detectan con rapidez.

- Se han comido muchas veces.
- Tienen siempre el mismo sabor.

¿Puede haber aumentado el consumo de tales alimentos desde 1980? La comida basura y la comida rápida tienen estas cuatro propiedades, han sido diseñadas para ello. La tabla de la página 138 da algunos ejemplos. ¿Ha aumentado espectacularmente el consumo de este tipo de comida desde 1980? La respuesta es sí. Los economistas Inas Rashad, de la Universidad Estatal de Georgia, y Michael Grossman, del Graduate Centre de la Universidad de Nueva York, consideraron varias causas posibles para esta epidemia. «Casi dos tercios del aumento de la obesidad en adultos desde 1980 se pueden explicar por el rápido incremento del número de restaurantes de comida rápida y de los de comida de mercado, especialmente de estos últimos».[150.1] Entre 1960 y 1980, el número de restaurantes por persona creció muy lentamente. Desde 1980, este número se disparó. En la figura 7 de la página 139, vemos cómo coincide el aumento de la obesidad con el aumento de los restaurantes. Desde 1978 hasta 1996, las calorías que se comían en los restaurantes donde te servían en la mesa se duplicaron; las calorías que se comían en los restaurantes de comida rápida se triplicaron.[151]

No es sólo la comida basura y la comida rápida. Lo que yo llamo comidas *ídem* (comidas que siempre saben igual) también suelen tener estas cuatro propiedades. Las comidas *ídem* no se encuentran sólo en los restaurantes y en las máquinas expendedoras. Las comes en casa cuando tomas alimentos preparados que necesitan poca o ninguna preparación: cereales para el desayuno, comidas para calentar en el microondas, pizzas congeladas, galletas saladas, zumo de naranja envasado, galletas: éstos

Las cuatro propiedades que hacen que la comida basura y la comida procesada engorden tanto

Comida	Sabor fuerte de...	Calorías que se detectan rápidamente en...	Sabor uniforme de...	Comidos muchas veces porque...
Refrescos (Coca-Cola, Pepsi-Cola)	Ingredientes secretos	Glucosa en el sirope de maíz rico en fructosa	Producción masiva	Se venden en todas partes
Hamburguesas (MacDonald's, Wendy's)	Ketchup, mostaza, encurtidos, cebollas, salsa secreta	Panecillo de hamburguesa, patatas fritas comidas al mismo tiempo	Preparación estándar, ingredientes producidos en masa	Se venden en todas partes
Pizzas (Pizza Hut, Domino's)	Salsa de tomate e ingredientes varios	Harina blanca en la masa	Preparación estándar, ingredientes producidos en masa	Se venden en todas partes
Donuts (Krispy Kreme, Dunkin' Donuts)	Rellenos y diferentes recubrimientos	Sucrosa, harina blanca	Producción masiva	Se venden en todas partes
Barritas de chocolate (Snickers, Mars)	Chocolate y esencias	Sucrosa	Producción masiva	Se venden en todas partes

son sólo algunos ejemplos. El nombre general para estos alimentos son *alimentos de conveniencia*. Son manufacturados en fábricas. Se supone que siempre deben tener el mismo sabor. En un periódico de 2003, los economistas David Cutler, Edward Glaeser y Jesse Shapiro, que no sabían nada de mis ideas, arguyeron que la epidemia de obesidad se debía a un gran aumento en el consumo de alimentos de conveniencia (o dicho de otro modo, a un gran descenso en el tiempo empleado en cocinar) desde 1978 hasta 1996.[152] Tenían muchas pruebas para haber llegado a esta conclusión. Por ejemplo, observaron que cuanto menos tiempo se empleaba en preparar la comida según distintas categorías demográficas (mujeres casadas, mujeres solteras, hombres casados, hombres solteros), más aumentaba el peso de

Figura 7. El crecimiento de la obesidad en Estados Unidos desde 1960 hasta 2000 es prácticamente idéntico al aumento del número de restaurantes.[150.2]

las personas de esa categoría. Las mujeres casadas eran las que habían reducido más el tiempo en la cocina y eran las que más engordaban.

En general, estas ideas y hechos nos dan una buena razón para pensar que la epidemia de obesidad se debe a comer demasiados alimentos con una fuerte asociación sabor-caloría. Si esto es cierto, ¿qué tenemos que hacer?

Qué pueden hacer los maestros

La prevención de la obesidad empieza de una forma natural en la infancia. Después de darme una vuelta por la Edible Schoolyard,* una escuela en Berkeley, California, le pregunté a una alumna de octavo qué pensaba sobre lo que había hecho en este centro. Dijo que le había gustado porque le habían enseñado a cocinar. «He podido comer cosas que nunca había comido. Aunque mi madre cocina muy bien.» Bueno, ¿por qué la comida de su madre no había tenido ese efecto? Porque se negaba a comer lo que cocinaba su madre.

Si la mente culinaria de un niño solamente está abierta cuando está fuera de casa, ¿cómo podemos beneficiarnos de ello? La doctora Antonia Demas, educadora alimentaria y fundadora del Instituto de Estudios para la Comida en el norte del estado de Nueva York, sabe mejor que nadie cómo pueden las

---

* Es una escuela de orientación ecologista, que cuenta con media hectárea de terreno de cultivo, donde se enseña a los niños a sembrar, cultivar y cocinar los alimentos. Sus experiencias en el huerto y en la cocina son para que entiendan cómo nos sustenta el mundo y promover el bienestar medioambiental y social. *(N. de la T.)*

escuelas persuadir a todos los alumnos a comer alimentos nuevos.[153]

A finales de la década de 1960, Demas empezó a trabajar como voluntaria en un centro Head Start,** para que su hijo pequeño estuviera con niños algo mayores. La comida que les daban la dejó horrorizada y concentró sus esfuerzos en mejorarla. Parte del problema era conseguir que los niños comieran alimentos más sanos. Observó que los niños se comían todo lo que ellos habían ayudado a preparar, de modo que vio dónde estaba la solución y les enseñó a cocinar. Posteriormente, fue voluntaria en una clase de segundo y siguió dando clases sobre alimentación, conectando sus clases con las de los profesores de forma creativa e interesante. Cuando el tema de la clase eran los nativos americanos, por ejemplo, les ayudaba a hacer una típica sopa de maíz iroquesa, y comparaba las distintas variedades de maíz. Cuando había una clase de arqueología, les hablaba de las momias de los pantanos encontradas en el norte de Europa (Dinamarca). Dado que los pantanos conservan los tejidos blandos, los investigadores han podido determinar sus últimas comidas, que solían ser mezclas de cereales integrales. Entonces los alumnos cocinaban cereales integrales con leche. Cada dos semanas Demas daba una clase diferente. «Me llevó a desarrollar mi creatividad», me dijo.

A principios de la década de 1990, Demas decidió sacarse el doctorado en Cornell, para mejorar su currículum y poder com-

---

** Programa federal para niños de preescolar de familias humildes. Está financiado por organizaciones no lucrativas y se realiza en casi todos los estados de Estados Unidos. Los niños participan en actividades educacionales, y aprenden a socializar, a resolver problemas y adquirir confianza en sí mismos. La comida y la atención médica son gratuitas. Los padres colaboran con los profesores. *(N. de la T.)*

partir sus conocimientos con otros profesores. Realizó su investigación llevando a cabo un sencillo experimento en una escuela de enseñanza primaria. Cada una de las doce clases se dividió en dos grupos. Uno, que siguió sus clases, era el grupo de tratamiento. El otro, que seguía las clases impartidas por el resto de los profesores, no recibió las enseñanzas de Demas. Era el grupo de control.

Dio dieciséis lecciones, con dieciséis comidas diferentes, en cada una de sus doce clases de tratamiento. Cuando habló sobre la India, los alumnos prepararon curry (una mezcla de especias), boniatos, zanahorias y muchas otras verduras, con arroz integral de acompañamiento. Cuando habló sobre el norte de África, la comida consistió en un estofado de garbanzos, alubias, tomates, calabacines y otras verduras, con cuscús integral. Desde la perspectiva de la prevención de la obesidad, todos estos alimentos eran excelentes. Sus sabores eran nuevos, no contenían ninguna fuente de detección rápida de calorías, eran caseros y no eran fáciles de preparar, de modo que el sabor variaba cada vez que cocinaban, y no podían comer siempre esos alimentos.

Un día, tras haber dado una de sus clases, se sirvió la comida que habían cocinado en la cafetería. No fue opcional: en la bandeja de todos los alumnos la comida preparada en la clase estaba como plato de acompañamiento. Después de comer se pesaron todas las bandejas para determinar cuánto habían comido.

El resultado era muy claro. Los niños que habían estado en las clases de Demas se comieron casi todo el acompañamiento, mientras que la mayoría de los del grupo de control ni lo probaron.

Las lecciones tuvieron otras repercusiones. A medida que avanzaba el año, los niños de las clases de Demas comían cada vez más las comidas que habían aprendido a preparar en clase. Se fueron acostumbrando a comer cosas nuevas que ellos mismos cocinaban. Por conversaciones que escuchó Demas, se enteró de que se había puesto de moda comer lo más variado posible y platos exóticos.

Los efectos fueron más allá de la cafetería de la escuela. Los niños se llevaron las recetas a casa y cocinaron para sus familias. Les hablaron a sus padres de las virtudes de los ingredientes. Sentían una excitación por cocinar. Demas se encontraba con algunos padres en el supermercado. «No me lo puedo creer —le decían—; mi hija quiere comer esta comida, quiere que le compre los ingredientes para prepararla». Jamás hubieran podido creer que sus hijos quisieran comer alguno de esos alimentos, ni mucho menos prepararlos.

Tras conseguir su doctorado en 1995, Demas ayudó a iniciar programas similares en Santa Fe, Nuevo México, Rochester y Nueva York. Actualmente, su programa se está usando en más de cuatrocientas escuelas. En Santa Fe, el programa denominado «Cocinar con niños», se ha implantado en diez escuelas, y cuenta con una participación de cuatro mil alumnos. Demas prosigue con su investigación. Últimamente ha completado un estudio en South Bend, Indiana, donde ha podido averiguar lo que compran los padres en los supermercados. Las compras de alimentos más inusuales, como acelgas, escarola y trigo integral aumentaron, y el incremento siguió al menos seis meses después de haber finalizado el programa. Un 75 por ciento de los niños que siguieron el programa adelgazaron. Es un comienzo excelente.

Otra forma de mejorar lo que comen los niños es seguir la sugerencia de una historia de *Totto-Chan* (1981), una autobiografía de los años escolares de Tetsuko Kuroyanagi, una estrella de la televisión japonesa.[154] Kuroyanagi fue a una escuela privada de Tokio durante la Segunda Guerra Mundial. El Día de los Deportes, una fiesta nacional japonesa, las escuelas de todo el país organizaban competiciones atléticas. Entre las muchas cosas maravillosas y especiales de la escuela de Kuroyanagi estaba el hecho de que los premios que se daban ese día eran verduras: «El primer premio podía ser un rábano gigante; el segundo premio, dos raíces de bardana; el tercero, un manojo es espinacas», escribió Kuroyanagi. Los niños protestaron por estos premios, de modo que el director les dijo. «Que vuestras madres los cocinen esta noche para cenar. Son verduras que os habéis ganado vosotros. Habéis conseguido comida para vuestras familias con vuestro esfuerzo. ¿Qué os parece? ¡Seguro que sabrán de maravilla!» Kuroyanagi añadió: «Tenía razón». No es sólo una idea interesante; es una idea interesante que ha funcionado.

Lo que puede hacer la industria alimentaria

En la batalla contra la obesidad, las grandes empresas alimentarias no son el enemigo, como abogan muchos defensores de la salud pública. Esta creencia es contraproducente e injusta. Cuando los estadounidenses creyeron que las grasas provocaban obesidad, las empresas alimentarias fabricaron muchos productos bajos en grasas. Cuando los estadounidenses creyeron que los hidratos de carbono provocaban obesidad, las empresas fabricaron productos bajos en hidratos de carbono. Si estos productos hubieran funcionado mejor, las empresas alimentarias habrían fabricado más.

Si la dieta Shangri-La y la teoría en la que se funda funcionan, ¿qué nuevos productos y servicios podemos esperar de la industria alimentaria, además de lo que es evidente (agua azucarada embotellada y aceite de oliva *extra-light* envasado para llevar encima)?

- *Mayor control del sabor por parte del consumidor:* por ejemplo, las pizzas congeladas con diez ingredientes opcionales, para que el chef —es decir, el consumidor— los pueda añadir en combinaciones creativas. Cuantas más novedosas sean las combinaciones de sabor, menos engordará la comida. En un cine al que fui no hace mucho, podías condimentar las palomitas con doce sabores distintos, como manzana, canela, barbacoa o virutas de chocolate.

- *Muchos sabores nuevos.* ¿Un refresco de mango y menta, por ejemplo? Un programa con el sabor del mes creado por las compañías de refrescos podría funcionar. Los nuevos sabores no estarían a la venta el tiempo suficiente como para que la gente llegara a acostumbrarse.

- *Alimentos que se digieren lentamente.* Esto supone alimentos con un bajo índice glucémico, como ya he mencionado en el capítulo 6, «Crédito extra: seis formas más de perder peso». Un primer paso es añadir el índice glucémico de los alimentos a la información obligatoria que debe figurar en el envase. Algunos fabricantes de alimentos australianos ponen lo que llaman símbolo del IG (www.gisymbol.com.au) en las etiquetas de los alimentos, junto con el índice glucémico. Cargill, una gran empresa norteamericana de ingredientes, ha lanzado recientemente al mercado dos nuevos edulcorantes (uno líquido y otro en polvo) cuya propiedad clave es que se digieren lentamente.[155] Puesto que estos edulcorantes son calóricos, se pueden utilizar para preparar el agua con azúcar para la dieta Shangri-La.

- *Alimentos con poco sabor.* «La mitad de sabor, todas las calorías» suena más sarcástico que apetitoso. Pero los alimentos bajos en sal se encuentran en todos los supermercados. Los alimentos con menos sabor añadido de lo habitual también pueden ser una opción, quizá se podrían etiquetar como «alimentos de sabor suave». Los alimentos de sabor suave, aunque se coman muchas veces, no suben tanto el *set point* como los que tienen mucho sabor.

- *Hacer hincapié en otras cualidades que no sean el sabor.* Los alimentos con asociaciones sabor-caloría más débiles no saben tan bien, esto no hay forma de evitarlo. Pero el Alimento A puede tener una asociación sabor-caloría más débil que el Alimento B, y sin embargo puede seguir siendo tan bueno como el Alimento B si es superior al B en otras formas que nos gratifican, como el aspecto y la textura. El *sushi* es muy popular, por ejemplo, pero generalmente tiene poco sabor. El aspecto excelente y su textura compensan su falta de sabor. Una pizzería que vende pizzas para llevar que hay cerca de mi casa y que es especialmente buena ofrece sólo un ingrediente para condimentar. Cada día cambia el ingrediente. No se benefician mucho de la asociación sabor-caloría, pero sus pizzas son muy populares debido a su originalidad, aspecto, textura, y a ese algo que se debe a la utilización de ingredientes exóticos.

- *Promover ser buenos entendidos.* Los buenos entendidos de la comida evitan los alimentos *ídem*, justamente los alimentos que mi teoría dice que debemos evitar. Buscan, compran, comen e incluso alaban los sabores sutiles e inusuales, justamente los alimentos que mi teoría dice que debemos comer. Como es inevitable, estos alimentos se consiguen en pequeñas cantidades y no es posible familiarizarse con ellos. Una cultura de entendidos en comida puede que sea la principal razón de que en Francia haya menos obesidad que en Estados Unidos.

- *Alimentos en los que se varíe intencionadamente el sabor.* Durante ese decisivo viaje a París (véase capítulo 2, «El caso de la falta de apetito»), bebía refrescos normales y corrientes, y me adelgacé. Me hicieron perder peso porque su sabor no me era familiar. ¿Se podría fabricar un refresco cuyo sabor siempre resultara nuevo? Sí, si el sabor variara lo suficiente de una botella a otra. Para fabricar ese tipo de refresco se necesitaría un nuevo método de fabricación. Las compañías alimentarias (y otros fabricantes) trabajan mucho para asegurarse de que sus productos siempre sepan igual. El control de calidad en la manufacturación significa reducir al máximo la variación. La meta de este nuevo tipo de facturación podría ser *introducir* la variación de una manera controlada, lo suficiente como para que el refresco engordara bastante menos, pero no tanto como para que los consumidores se confundieran. Probablemente sea imposible hacer que cada botella sepa diferente, pero la meta sería introducir suficiente variación como para que los sabores jamás resultaran familiares. Si la variación fuera lo bastante amplia, beber este refresco con una nueva etiqueta ayudaría a adelgazar, igual que me sucedió a mí en París. Sería mejor que el agua con azúcar, porque podrías beberlo en todas las comidas. Si bebes agua con azúcar *sin sabor* en una comida, refuerza la asociación sabor-caloría del resto de la comida. El agua con azúcar con sabor no tendrá este efecto. El sabor del agua con azúcar interferirá en la asociación de sabores de los otros alimentos y de las calorías del agua con azúcar.

Recientemente, las grandes empresas alimentarias se han interesado en hacer que su gama de productos fuera más saludable. Coca-Cola compró Odwalla, un fabricante de zumos de frutas, justo por esa razón. McDonald's ha introducido una mayor variedad de ensaladas, y ha incluido fruta fresca en el menú. Lo que espero que interese a los ejecutivos de las compañías alimentarias es la idea de que se puede fabricar una *versión de la Coca-Cola para perder peso*. Esto es completamente nuevo. Requeriría una gran innovación en el proceso de manufacturación, pero el mercado potencial para este producto y los otros productos y servicios que he mencionado es inmenso.

El antídoto para la civilización

El Club Med, la cadena francesa de complejos turísticos, solía autodenominarse «el antídoto de la civilización», un eslogan brillante y revelador. Revelaba dos cosas: una fracción importante del público al que iba dirigido (personas lo suficientemente ricas como para poder permitirse ir al Club Med) era: *a)* algo infeliz (porque necesitaba un «antídoto») y *b)* estaba convencido de que la civilización era la causa de su descontento. El Club Med ofrecía una vida vagamente precivilizada (como, por ejemplo, actividades al aire libre y no utilizar dinero) durante una semana o dos.

La epidemia de obesidad es claramente un subproducto de la civilización. No sólo tenemos comida de sobra, sino que también tenemos suficiente dinero para pagar por el procesamiento de la misma. Las soluciones propuestas para la epidemia de obesidad a menudo tienen un aire de Club Med: desterrar la televisión. Ejercicio obligatorio. Las mismas comidas desde 1950. Estas soluciones son atractivas por la misma razón que lo es el Club Med: en el fondo sabemos que algo no está bien en nuestra civilización.

Estas visiones no son incorrectas, pero son verdades donut. Les falta algo crucial. La escritora sobre teoría urbana Jane Jacobs lo expuso de maravilla. Cuando hablaba de lo que se podía hacer respecto a la contaminación, decía que un problema no era demasiado una cosa o demasiado poco la otra; el problema es el trabajo por hacer, con lo cual ella se refería al desarrollo de ideas y productos nuevos y de servicios basados en las mismas. El antídoto de la civilización, diría Jacobs, es más civilización.

Un libro sobre dieta es una forma de civilización muy baja. En este capítulo he indicado cuáles podrían ser las formas superiores, incluidos nuevos programas en las escuelas y nuevos productos alimenticios. Esto sólo es el comienzo. Cuando las personas creativas y con recursos tengan las ideas apropiadas sobre las causas de la obesidad, empezarán a cambiar nuestro mundo de diversas formas que evitarán que engordemos con tanta facilidad.

Apéndice

La base científica
de la teoría de la dieta

«¿Soy el único que piensa que esta dieta puede ser una enorme patraña que nos han contado los muchachos de *Freakonomics*?», escribió alguien en un *blog* sobre la dieta Shangri-La.[156] «Apenas me lo puedo creer», respondió otra persona, a la que le estaba funcionando.[157] No fueron los únicos. Después de que en *Good Morning America* hablaran de esta dieta, las primeras palabras de Diane Sawyer fueron: «Estamos empezando a quedarnos boquiabiertos en el estudio».[158] Una de las razones por las que esta dieta es tan sorprendente es porque se basa en una ciencia que la mayoría de las personas —por desgracia, incluidos la mayoría de los investigadores sobre la obesidad— desconocen.

Me gustaría cambiar eso. No es necesario ser científico para seguir esta dieta, ésta es la razón de este apéndice. Pero para quienes estén interesados, aquí tienen una breve explicación de las bases científicas de esta dieta, especialmente del trabajo de los tres investigadores que más me han influido: Michel Cabanac, Anthony Sclafani e Israel Ramirez.

• • •

La fisiología se encuentra con la psicología

La teoría de la dieta Shangri-La se basa en las investigaciones en dos áreas que suelen estar separadas: el control del peso y el aprendizaje asociativo. La mayoría de los investigadores sobre el control del peso saben muy poco del aprendizaje asociativo, y la mayoría de los investigadores del aprendizaje asociativo saben muy poco sobre el control del peso. Estos dos temas son objeto de estudio de dos ciencias diferentes: el control del peso se estudia en fisiología, y el aprendizaje asociativo en psicología.

Un concepto básico de la fisiología es la *homeostasis*: el mantenimiento de las constantes vitales. La homeostasis tiene lugar en nuestro cuerpo de cientos de formas distintas. Sudar cuando tenemos calor y temblar cuando tenemos frío son las formas que utiliza nuestro cerebro para mantener nuestra temperatura corporal constante. La grasa de nuestra piel es otro ejemplo. Al lavarnos la cara hacemos que nuestras glándulas sebáceas se vuelvan más activas para restaurar el aceite que hemos sacado. Las concentraciones de muchas sustancias en nuestra sangre, incluido el oxígeno y la glucosa (azúcar en la sangre) se mantienen constantes de varias formas.

Hacia 1950, un investigador londinense llamado G. Kennedy hizo algunas observaciones sobre el peso de las ratas que indicaban que la grasa corporal también se regulaba homeostáticamente.[159] Kennedy varió la cantidad de agua que mezclaba en la comida de las ratas. Cuando doblaba la cantidad de agua, reduciendo así a la mitad la densidad de las calorías, durante unos días las ratas comían menos calorías de lo habitual. A raíz de ello, perdían peso. No obstante, a los pocos días empezaban a ingerir más calorías de lo habitual, las suficientes para recuperar el peso perdido. Posteriormente, cada día comían lo suficiente para conservar su peso predilución. Su peso se mantenía bastante constante aunque su comida variaba mucho, del mismo modo que un termostato regula la temperatura ambiental enfriando o calentando, sin importar los cambios meteorológicos exteriores. Kennedy propuso que nuestro peso lo regulaba un sistema parecido al del termostato; en otras palabras, un sistema con un *set point* o punto prefijado.

La propuesta de Kennedy recibió el apoyo del descubrimiento de la hormona leptina en 1994.[160] A fin de regular la cantidad de grasa, el cerebro tiene que saber cuánta grasa corporal tienes, del mismo modo que un termostato necesita contar con un termómetro incorporado para saber cuál es la temperatura ambiente. La concentración de leptina en la sangre informa al cerebro de la cantidad de grasa que hay en nuestro cuerpo. La leptina la producen las células adiposas. Cuando aumenta nuestra grasa corporal, también aumenta la leptina en la sangre. Cuando baja la grasa corporal, también baja la leptina.

El aprendizaje asociativo es tan importante para la psicología como la homeostasis para la fisiología. Un tipo de aprendizaje asociativo es el de los perros de Pavlov, el fisiólogo ruso. En los experimentos del laboratorio, Pavlov descubrió que si una campana sonaba durante dos minutos y luego le daba de comer al perro, éste aprendía rápidamente a asociar el sonido de la campana con la llegada de la comida. Tras varias de estas asociaciones, el sonido de la campana hacía que el perro salivara antes de ver la comida.

Las generalizaciones de Pavlov descubiertas a través del estudio de la asociación entre tocar la campana, la comida y la salivación han servido para predecir lo que sucede en otras muchas situaciones. Nos han ayudado a entender el miedo, el hambre, las aversiones a algunos alimentos, la tolerancia a las drogas, las drogadicciones, la excitación sexual, e incluso los efectos visuales secundarios. Mi formación universitaria estaba orientada hacia esta área de la psicología.

La teoría del *set point* de Kennedy sobre el control del peso y los experimentos de aprendizaje de Pavlov son muy conocidos. Han sido puntos de partida científicos que me han conducido a mi teoría.

Michel Cabanac:
Universidad de Cold Water

El doctor Michel Cabanac es profesor de fisiología de la Universidad Laval de Quebec, Canadá. Su primer proyecto de investigación, como estudiante de medicina en Lyon, Francia, trataba sobre la termorregulación en los perros. Después de graduarse en 1958, se marchó a París, donde su supervisor le asignó el estudio de la termorregulación en los humanos. En la investigación, los sujetos estaban sentados en una bañera de agua caliente. Un día el propio Cabanac se puso en una de esas bañeras. El agua caliente hizo que le subiera mucho la temperatura. Tras salir de la bañera y limpiar el equipo con agua fría, notó que ésta le resultaba muy agradable. «Para mí eso fue como la manzana de Newton»,[161] me dijo refiriéndose a la historia de que la caída de una manzana inspiró a Newton la teoría de la gravedad. De pronto Cabanac tuvo una idea sobre la razón por la que sentimos placer y dolor. En parte, lo que hace que una temperatura resulte agradable o desagradable es la *diferencia*: la diferencia entre la temperatura de *set point* del cuerpo (la temperatura que el sistema intenta mantener) y la temperatura real (interna) del cuerpo. Si tu temperatura interna es *superior* a tu *set point*, el agua fría resulta agradable. Ésta era la situación de Cabanac: haber estado sentado en la bañera de agua caliente había elevado su temperatura interna por encima de su *set point*. Pero si tu temperatura es *inferior* a tu *set point*, el agua fría resulta desagradable. Dado que siempre buscamos experiencias placenteras y evitamos o ponemos fin a las desagradables, estos cambios hedónicos nos ayudan a regular nuestra temperatura corporal.

Cabanac quería comprobar esta idea del placer en otros campos. La comida es otra fuente de placer. ¿Ayudan a regular nuestro peso los cambios que realizamos en la comida para que nos resulte agradable? Empezó a estudiar qué era lo que controlaba lo agradable que nos parece un sorbo de agua azucarada. Durante años, no sacó ninguna conclusión: nada de lo que probaba cambiaba la respuesta de las personas que participan en sus estudios. Sí descubrió que si les daba el agua con azúcar a través de un tubo que llegara directamente al estómago, los sorbos de agua con azúcar eran menos agradables. Esto fue una versión abreviada de laboratorio de lo que sucede durante una comida: las calorías van al estómago, el cuerpo identifica las calorías, la comida se vuelve menos agradable (y cuando llega al punto de «no es agradable», dejas de comer). Así, Cabanac creía que, si el agua fría resultaba agradable debido a la diferencia entre la temperatura de *set point* y la temperatura interna, el agua con azúcar debía resultar agradable como consecuencia de la diferencia entre el *set point* del peso corporal y el peso actual.

Para comprobar esta predicción hizo un experimento con personas que habían perdido 4 kilos comiendo menos de lo que comían habitualmente.[162] La finalidad era bajar su peso por debajo de su *set point*. Él era uno de los sujetos de estudio. «Fue una tortura. Soñaba que rompía el ayuno y echaba a perder el experimento.» Con un peso más bajo, el agua con glucosa enviada directamente al estómago a través de un tubo ya no reducía el sabor agradable de los sorbos de agua con azúcar. La fuerza que hace que la gente deje de comer —la comida deja de saber bien— ya no estaba presente. Cabanac llegó a la conclusión de que cuando tu peso está por debajo de tu *set point*, necesitas *más* alimento para sentir la sensación de saciedad, lo que lleva implícita la predicción de que cuando el peso esté por encima de nuestro *set point* necesitaremos *menos* comida para sentirnos llenos.

El experimento de Cabanac me vino a la memoria cuando muchas personas que habían probado la dieta Shangri-La comentaban que necesitaban mucha menos comida para saciarse. «Ésta es la primera vez que me dejo comida en el plato», escribió una de ellas.[163] «Me siento satisfecho después de comer aproximadamente la mitad de lo que solía comer», escribió otra.[164] Yo había tenido la misma experiencia. Estos comentarios eran una señal excelente de que la dieta Shangri-La funciona según mi teoría: bajando el *set point*.

Cabanac hizo otro experimento para comprobar si las «leyes» que regulan la temperatura se podían aplicar a las que regulan el peso. En la regulación de la temperatura, la temperatura de la piel afecta al *set point*. Calentar la piel baja el *set point* de temperatura corporal; refrescar la piel lo eleva. «Esto anticipa una futura amenaza», dijo Cabanac. La idea clave es que el *set point* es sensible a las condiciones que prevalecen en el mundo exterior.

Para ver si sucedía algo similar con el peso, Cabanac y un colega hicieron un experimento donde los sujetos conseguían todas sus calorías de lo que Cabanac denominó «una comida muy sosa», una dieta líquida e insípida.[165] Los sujetos, uno de los cuales era el propio Cabanac, podían ingerir toda la dieta líquida que deseasen, pero seguían adelgazando, tal como había predicho Cabanac. A diferencia de la restricción («tortura») de calorías, esta forma de adelgazar «no hacía sufrir», dijo Cabanac. «Los sujetos, incluido yo, adelgazaban y no lo pasaban mal. Nunca pasaban hambre.» El experimento continuó hasta que perdieron tanto peso como las personas que se habían sometido al experimento con la restricción de calorías. Entonces, cuando los sujetos alcanzaban su peso más bajo, se repetía el test de glucosa. Esta vez los resultados eran totalmente normales: la carga de glucosa del estómago hacía que los sorbos de agua azucarada fueran menos agradables. La explicación de Cabanac es que, en este caso, la pérdida de peso no cambió los resultados porque el *set point* y el peso actual eran similares. Cuando adelgazas comiendo comida insípida (fácil), baja tu *set point*. Cuando adelgazas restringiendo las calorías (difícil), tu *set point* no baja. Es decir, el hecho de que haya dos formas bastante diferentes de adelgazar —con y sin reducción del *set point*— es una idea muy importante.

El experimento de la comida insípida también me impresionó porque demostraba con los seres humanos que el *set point* variaba según lo que comíamos. Por desgracia, el trabajo de Cabanac no tuvo el reconocimiento que merecía. Cuando le pregunté qué repercusiones había tenido su estudio, me dijo que creía que ni tan siquiera le habían mencionado en otras publicaciones profesionales. Sin embargo, trató de averiguar si había sido así, y comprobó que le habían citado veinte veces desde su publicación en 1976, lo que tampoco era mucho teniendo en cuenta el gran interés que existe en perder peso.

Casi paralelamente al experimento con la comida insípida, un estudiante del laboratorio de Cabanac llamado Marc Fantino, y que ahora es profesor de la Facultad de Medicina de Dijon, Francia, hizo un experimento similar pero más extremo, donde cuatro sujetos recibieron todos los nutrientes necesarios a través de un tubo colocado en la nariz que iba directamente al estómago, el alimento era totalmente insípido.[166] Aunque consumieran todo lo que querían, perdían peso con rapidez, algo más rápido que los sujetos del experimento con comida insípida, aunque la comida era idéntica. Esto me dio a entender que el sabor elevaba el *set point*. Sin sabor, el *set point* baja rápidamente.

Pensé que algunos sabores eran más potentes que otros. ¿Qué tenías que saber sobre un sabor para predecir *cuánto* aumentaría el *set point*? Las investigaciones de Cabanac y Fantino plantearon esta pregunta, pero no pudieron responderla.

Anthony Sclafani: por qué nos gustan las espinacas

El doctor Anthony Sclafani es profesor de psicología en el Brooklyn College, que pertenece a la Universidad de Nueva York. En la década de 1970, buscaba un modelo animal de obesidad. Era sorprendentemente difícil hacer engordar a las ratas normales. En aquellos tiempos la forma habitual de hacer engordar a las ratas era añadir grasas a su comida (mantequilla, como la de la marca Crisco). Esto producía obesidad, pero lentamente. Quizá si la comida supiera mejor engordarían más rápidamente, pensó Sclafani.[167] Envió a uno de sus alumnos al supermercado y le hizo comprar alimentos que engordaban, como leche condensada azucarada, galletas con pepitas de chocolate, salami, queso, plátanos, chocolate con leche y mantequilla de cacahuete.

Cuando a las ratas jóvenes que estaban creciendo les empezaron a dar estos alimentos además de su comida de ratas habitual, aumentaron de peso al doble de la rapidez que cuando sólo comían su comida de ratas, y mucho más deprisa que las ratas a las que se les daba una dieta alta en grasas. Esto sugería que la comida del supermercado engordaba bastante en comparación con la comida de ratas, y que no era sólo su alto contenido en grasa lo que le daba su potencial para engordar.[168] Esta investigación se publicó en el mismo año (1976) y en la misma revista (*Physiology & Behavior*) que el experimento con comida insípida de Cabanac, separadas sólo por unos cientos de páginas. Ambos experimentos —con ratas (Sclafani), con personas (Cabanac); aumento de peso (Sclafani), pérdida de peso (Cabanac)— me sugirieron que el sabor de la comida controla el *set point*: la comida que tiene buen sabor lo eleva, la comida que no sabe tan bien lo baja.

Diez años después, Sclafani todavía estaba estudiando los efectos de la alimentación. Por casualidad había descubierto que las ratas tienen una predilección especial por un almidón denominado policosa.[169] Para los humanos es una fuente insípida de calorías; si lo añades al zumo de naranja, éste no cambia su sabor. Pero a las ratas les encantaba. Esta atracción tenía una cualidad curiosa: aumentaba con el paso de los días. Por ejemplo, las ratas en un principio preferían el agua con azúcar al agua con policosa, pero al cabo de unos días cambiaban su preferencia por la solución con policosa. Sclafani dedujo que la policosa tenía poderosos efectos *tras* su ingesta que hacían que su sabor resultara muy atractivo. El concepto de que los sabores mejoran cuando se asocian a las calorías o a los nutrientes que detecta el sistema digestivo estaba dando vueltas desde la década de 1960. Pero sólo ha habido unas pocas demostraciones de tal aprendizaje, y en dichos casos no han sido muy contundentes.

Quizá, pensó Sclafani, valdría la pena revisar la pregunta: *¿Existe realmente el aprendizaje asociativo sabor-caloría?* Sclafani y un colega dispusieron un aparato que inyectara agua con policosa o agua sola directamente en el estómago de la rata cada vez que ésta bebiera.[170] En el experimento se utilizaron dos sabores de Kool-Aid. Cuando una rata bebía agua con el sabor 1, se le inyectaba agua con policosa en el estómago. Cuando bebía agua con el sabor 2, se le inyectaba agua sola. A diferencia de los débiles efectos de las investigaciones anteriores, este procedimiento produjo una gran preferencia por el agua con el sabor 1 cuando a la rata se le daba la opción de escoger entre ambos. Incluso después de haber interrumpido las inyecciones de policosa y de que los dos sabores de Kool-Aid fueran seguidos de inyecciones de agua sola, la preferencia persistió durante días.

Sclafani no había descubierto el aprendizaje sabor-caloría; otros investigadores ya lo habían hecho antes. Lo que había hecho era descubrir su importancia, su poder y cómo estudiarlo. En los años siguientes, él y sus colegas hicieron cientos de experimentos sobre el aprendizaje sabor-caloría.[171] Lo hicieron realidad. Cuando yo empecé a teorizar sobre el control del peso, ya estaba tan demostrado que lo di por hecho.

Israel Ramirez: conectar el aprendizaje asociativo y el control del peso

Cuando el doctor Israel Ramirez trabajaba en el Monell Chemical Senses Institute de Filadelfia (1982-1997), realizaba un brillante experimento tras otro. Las investigaciones en psicología y fisiología son muy empíricas. Todo gira en torno a datos, generalmente extraídos de experimentos. En comparación con otros científicos que estudian la alimentación, Cabanac es un gran teórico cuyos experimentos hábilmente apoyan sus ideas teóricas, y Sclafani es un gran empírico cuyos experimentos crean una rica imagen puntillista de una generalización empírica. Ramirez era un científico que podría compararse a un bufón shakespeariano de la corte cuyos experimentos revelaban verdades profundas de manera indirecta.

Además de esto, Ramirez era un científico especializado en hacer experimentos con resultados difíciles de explicar. Ésta es una postura complicada para un científico. Los resultados sorprendentes son los más esclarecedores, o al menos pueden llegar a serlo, pero puede requerir cierto tiempo hallar una buena interpretación, y entretanto el valor de tu trabajo no está nada claro. Ramirez, sin ayuda de nadie, dio al campo del estudio del control del peso un gran empujón hacia delante, aunque en su momento no fue evidente.

Ahora trabaja como asesor y creador de *software* en PC Helps Support, Bala Cynwd, de Pensilvania. Había realizado tantos trabajos destacados en el Monell que cuando le entrevisté en 2005 no recordaba haber escrito veinte años atrás un artículo relevante sobre si el azúcar provoca obesidad.[172] «Generalmente se considera —empezaba el artículo— que el consumo de sucrosa puede predisponer a los seres humanos a la obesidad.» Sin embargo, Ramirez concluía diciendo que «los estudios con animales [ratas] no apoyan [esta] idea».[173] Señalaba que el azúcar tiene un efecto muy distinto sobre el peso según sea ingerido «mojado» (disuelto en agua) o seco. Esto no guarda coherencia con la simple idea de que el azúcar engorda. Puesto que las ratas y los seres humanos se parecen bastante en muchos aspectos dietéticos, esto era una prueba contundente contra la visión convencional.

Después de que Sclafani comentara que a las ratas que se les había dado pan además de su comida habitual se engordaron, Ramirez decidió hacer un experimento. Comparó dos grupos de ratas a las que se les daba pan como su única fuente de calorías. Un grupo recibió una mezcla de pan modificada, de modo que contenía todos los nutrientes. Al otro grupo se le dio la misma mezcla en forma de pan, que estaba hecha añadiendo agua a la mezcla y horneándola. Así que a los dos grupos se les ofrecieron los mismos nutrientes, los mismos micronutrientes, las mismas proporciones de grasas, hidratos de carbono y proteínas. Tras varias semanas, las ratas a las que se les había dado el pan horneado pesaban bastante más que las que habían comido la mezcla de pan. El experimento era tan sencillo y fácil que hasta un alumno de instituto podía realizarlo; sin embargo, demuestra que algo falla en las ideas convencionales sobre el control del peso. «Era algo feo», me dijo. (De hecho, era bellamente simple, tanto en idea como en ejecución. Con lo de «feo» Ramirez quería decir que era difícil decir exactamente en qué se diferenciaba el pan sin cocer del pan cocido.) Cuando se lo explicó a sus colegas, «provocó algunas risas». No publicó su estudio.

Pero pensó en ello. Una diferencia entre la mezcla de pan y el pan era el agua que se había añadido para hacer la masa, por lo que hizo varios experimentos que medían el efecto de añadir agua a un pienso seco para ratas. Estos demostraron que el agua engordaba, ¡y mucho! Las ratas jóvenes que fueron alimentadas con pienso mojado engordaron más que las que comieron pienso seco, aunque ambos grupos tenían agua para beber. El efecto fue impresionante: la cantidad correcta de agua podía *duplicar* el aumento de peso de las ratas.[174] Esto contradice todo lo que al estadounidense medio le han dicho sobre el control del peso. Los dietistas siempre aconsejan beber mucha agua, porque no tiene calorías, ni grasas, ni hidratos de carbono, ni azúcar, ni nada. Cuando cuento a la gente este resultado, suele quedarse sin habla. El propio Ramirez no estaba seguro de saber cómo explicarlo. Sin embargo, mi teoría explica este sorprendente resultado porque es probable que al humedecer el pienso se acrecentara su sabor y acelerara el proceso de la digestión, lo que provocaría asociaciones sabor-caloría más poderosas.

Los experimentos sobre el aprendizaje sabor-caloría de Sclafani demostraron algo que muchos otros ya creían pero habían sido incapaces de demostrar. Los experimentos de Cabanac eran bellas demostraciones que exponían una lógica oculta que él ya conocía. Por otra parte, los experimentos de Ramirez generalmente ponían de manifiesto la *falta* de comprensión de todos, incluido él mismo.

Una serie de los experimentos de Ramirez llegó todavía más lejos. Al igual que muchos descubrimientos importantes, empezó con una especie de accidente. Siguiendo las mismas directrices que con el experimento del pan, Ramirez se preguntaba cómo provocar «comer en exceso» sin cambiar la composición de los macronutrientes (grasas/proteínas/hidratos de carbono). Los granjeros lo habían intentado añadiendo sacarina al pienso del ganado para engordar más rápidamente a sus animales. Quizá la sacarina haría que la comida tuviera mejor sabor y los animales comieran más.[175] Por lo que sabía Ramirez, esto siempre había fracasado. Pero quizás valía la pena volver a intentarlo.

El diseño experimental era simple: utilizó dos grupos de ratas. Ambos grupos tomaron una dieta líquida (la dieta tenía que ser líquida para que se le pudiera añadir sacarina). A un grupo se le dio la dieta líquida con sacarina, y al otro la misma dieta sin sacarina. Los dos primeros experimentos dieron resultados contradictorios. En uno de ellos Ramirez consiguió un efecto (las ratas a las que se les había agregado la sacarina comían más y engordaban más), en el otro, no. «[Un colega] revisaba mis resultados —dijo Ramirez—. Le pareció absurdo: la mitad tuvo éxito, y la otra mitad no.»

Ramirez supuso que la razón de estos resultados contradictorios era que a algunas ratas les gustaba la sacarina y a otras no. Si pudiera separar esas ratas en ambos grupos —a las que les gustaba la sacarina y a las que no—, los resultados serían más coherentes y claros. Las ratas a las que les gustaba la sacarina engordarían, y las ratas a las que no les gustaba no. De modo que hizo un experimento en que midió cuánto le gustaba la sacarina a cada rata antes de medir el efecto de la misma sobre su peso.

Este experimento tuvo un resultado curioso: la sacarina no produjo ningún efecto. Los pesos de los dos grupos no variaron. Sin embargo, la única diferencia entre este experimento y el otro anterior donde la sacarina sí había producido un efecto había sido el test de preferencia a la sacarina que había hecho al principio. Ramirez había supuesto que el propio test de preferencia no afectaría a las ratas. Los tests son inocuos, ¿no es cierto? Si alguien te pregunta cuánto te gusta el chocolate, no hará que el chocolate te engorde menos. Si rellenas un cuestionario de tres páginas sobre *hot dogs*, esto no hace que los *hot dogs* que comes te engorden menos. El test de preferencia de la sacarina había consistido en dar a las ratas una botella de agua edulcorada con sacarina en su jaula (además de agua sola) durante cuatro días. Se dio por hecho que a las ratas que bebieron el agua edulcorada les gustaba más la sacarina. Sin duda una experiencia tan inocua no afectaría al peso de las ratas. Pero así fue. Un nuevo experimento donde a unas ratas se les hizo un test de preferencia y a otras no demostró esto categóricamente.

Una forma de pensar en los resultados fue ésta: sólo si la sacarina era una sustancia *nueva*, añadirla a la dieta líquida haría que ésta engordara más. Si la sacarina ya era familiar, no haría que la dieta líquida engordara más. Ramirez revisó el experimento anterior que había fracasado para descubrir un efecto de la sacarina. En ese experimento, las ratas habían tomado la dieta líquida durante una semana antes de añadirle la sacarina. Esto sugería que la dieta líquida también debía resultar *nueva* cuando se le añadía la sacarina para que ésta tuviera algún efecto. En resumen, todos los experimentos sugerían que esa *experiencia* con la comida afectaba a su capacidad de engordar a los individuos. Ésta es una de las ideas clave de mi teoría sobre el control del peso. Al final del artículo científico sobre estos resultados, Ramirez escribió: «El presente artículo proporciona la primera prueba de que el aprendizaje puede ser un factor importante en la hiperfagia [comer en exceso] dietética».

De hecho, así era. Ésta era una idea radicalmente nueva. Aparentemente, ninguna persona que leyó el artículo supo qué hacer con ello. Rara vez se lo citaba. «Tú te fijaste en él —me dijo Ramirez en 2005—. Nadie más lo ha hecho.»

Debido a mi formación en psicología, sabía mucho sobre el condicionamiento pavloviano. El hecho de que la sacarina y la dieta líquida tenían que ser nuevas para las ratas para que tuvieran efecto, inmediatamente me sugirió que estaba implicado el condicionamiento de Pavlov; para ser más concreto, me sugirió que el efecto se debía a una *asociación aprendida* entre el sabor de la sacarina y las calorías de la dieta líquida. Gracias al trabajo de Sclafani, yo estaba seguro de que se producía este aprendizaje. Gracias al trabajo de Cabanac, supuse que cualquier cosa que hiciera engordar, lo hacía porque aumentaba el *set point*. Cabanac y Sclafani habían demostrado persuasivamente que lo que comes, especialmente su sabor, puede influir en tu *set point* de peso corporal, de modo que era fácil creer que las asociaciones sabor-caloría influían en él. Poco más había en mi nueva teoría.

Para saber más sobre la base científica de mi teoría, véase www.sethroberts.net/articles/whatmakesfoodfattening.pdf.

Agradecimientos

Si mi amiga croata Jasmina Kos no me hubiera invitado a visitarla, provocando que me quedara una semana en París... Gracias, Jasmina. Carl Willat no se ha cansado nunca de ayudarme y animarme, incluso me hizo la curiosa sugerencia de que este libro tuviera una forma circular y se titulara *Éste es tu aspecto*. «Ayúdalo a que destaque», me dijo.

Doy las gracias a mis muchos amigos que han probado mis métodos para perder peso y se lo han comentado a sus amigos. Sus experiencias fueron las primeras señales de que estas ideas podían ayudar a mucha gente. Mis alumnos han sido entusiastas e inquisitivos y han probado mis ideas sin decírmelo, lo que para mí es un cumplido.

Por la ayuda en la investigación para escribir este libro, quiero dar las gracias a Janessa Karawan, que siguió ayudándome aun después de haber encontrado un trabajo a tiempo completo, porque el proyecto le parecía fascinante; a Katie Kelly, que me ayudó de muchas formas, y a mi madre Justine Roberts (bibliotecaria médica). Mi madre que lo sabía todo sobre búsquedas en bases de datos mucho antes que Google —cuando se llamaban consultas— ha hecho cientos de ellas para ayudarme.

Quiero agradecer a Margaret Adamek, Elizabeth Capaldi, David Cutler, William Jacobs, Frances Jalet-Miller, Naomi Katz, Inas Rashad (que también me ayudó con la figura 7), Paul Rozin y Norman Temple que hayan compartido conmigo sus experiencias. Michel Cabanac, Antonia Demas, Israel Ramirez y Anthony Sclafani (que también me enseñó su laboratorio), cada uno de ellos pasó varias horas conmigo respondiendo a mis preguntas. En el apéndice he intentado explicar la importancia del trabajo de Cabanac, Ramirez y Sclafani para mis ideas. Israel Ramirez también había hablado mucho conmigo hace diez años. Mi teoría sobre el control del peso se inspiró en una de las veinte raras reimpresiones de sus artículos que me envió en aquel entonces.

Eso era antes de que hubiera libre acceso (disponibilidad de investigar a través de la web). La combinación del libre acceso y de los *blogs* ha hecho maravillas en la creación de este libro. Stevan Harnad no sólo ha promocionado el libre acceso durante muchos años, sino que fundó *Behavioral and Brain Sciences*, donde se publicó el artículo científico en el que se basa este libro, y creó una publicación accesible que ha sido muy citada; también fue el responsable de la editorial que aceptó mi artículo. Estoy muy agradecido a Andrew Gelman, un amigo de hace muchos años, que escribió sobre mi trabajo en www.stat.columbia.edu/-gelman/blog. El libre acceso significaba que los lectores de su *blog* podían leer mi artículo y comprobarlo por sí mismos. Sus comentarios llamaron la atención de Alex Tabarrok, de Marginal Revolution (www.marginalrevolution.com), quien escribió la crítica más favorable que ha recibido mi trabajo.

Stephen Dubner y Steven Levitt, los autores de *Freakonomics*, conocieron mi trabajo a través de Marginal Revolution y consiguieron captar la atención del mundo editorial, por no hablar del público en general, a través de una columna en el *New York Times*. No sólo probaron ellos mismos mis ideas, sino que me invitaron a su *blog* de invitados en www.freakonomics.com. Eso llevó a que Ann Hendricks colgara un *blog* donde las personas que probaban la dieta Shangri-La —la versión pirata— pudieran intercambiar historias. Sus historias y entusiasmo hicieron que fuera mucho más fácil escribir este libro, como ya he dicho en la introducción.

Mi agente, Suzanne Gluck, como suele hacer, hizo el gran trabajo de generar interés entre los editores; cada vez que sucede algo bueno relacionado con este libro, lo denomino «el efecto Gluck». Laura Bellotti me ayudó a preparar una propuesta y los capítulos de muestra a los que Suzanne poco tuvo que objetar.

«Todo el mundo necesita un revisor-consejero editorial», dice un amigo mío. Yo lo necesito más que la mayoría, y gracias a Dios que tengo a Marian Lizzi, mi editora en Putnam. Cuando no estaba seguro acerca de lo que tenía que hacer —y esto me sucedió unas cuantas veces—, llamaba a Marian y le preguntaba. Estoy un poco sorprendido de la frecuencia con la que estaba de acuerdo con sus sugerencias. Sheila Buff me ha ayudado a escribir este libro como fuente de inspiración de muchas ideas, proporcionándome su tan necesitada experiencia en el campo de la salud y dándome consejos convincentes.

«El libro de la dieta con un doctorado», ingeniosamente lo llamaba Marian. Mi doctorado es en psicología experimental, y en varios aspectos éste es el tipo de libro que escribiría un psicólogo experimental (por ejemplo, tomándose en serio los experimentos con las ratas). He aprendido más psicología experimental de Saul Sternberg, un investigador científico de los Laboratorios Bell y profesor en la Universidad de Pensilvania, que de ninguna otra persona. Ha sido un gran apoyo durante toda mi carrera. Cuando ya me había graduado, Saul me invitó a dar una conferencia en los Laboratorios Bell. Después cenamos en su casa. En la nevera tenía un gráfico con algunos datos. «¿Qué es esto?», le pregunté. «La fuerza de la gravedad», me respondió. Era un gráfico sobre su peso.

En el epílogo de *Exploratory Data Analysis* (1977), un gran libro de estadística, John Tukey escribió que no había mencionado a los ordenadores en el texto principal, pero que su sombra se reflejaba en cada una de sus páginas. Este libro está dedicado a los investigadores de aprendizaje animal, porque mi deuda con ellos no es inferior a la que Tukey tenía con los ordenadores. Han creado toda un cuerpo de conocimiento, con miles de experimentos sobre aprendizaje asociativo y cómo estudiarlo, sin el cual este libro nunca hubiera llegado a ver la luz.

Notas

Abreviaciones

El *blog* de Annie: www.blogger.com/comment.g?blogID= 169622 89&
postID=112729758775514780

Blog de CalorieLab: calorielab.com/news/2005/09/21/seth-roberts-
shangri-la-diet-in-detail

Epígrafe

1. Nancy Mitford, *Love in a Cold Climate* (Modern Library, Nueva
   York, 1994), p. 339. [Hay trad. cast.: *Amor en clima frío*, Libros
   del Asteroide, Barcelona, 2006.]

Introducción

2. Seth Roberts, «Lab Rat: What AIDS researcher Dr. Robert Gallo
   did in pursuit of the Nobel Prize, and what he didn't do in pursuit of a cure for AIDS», *Spy*, junio, 1990, pp. 70-79. Se puede
   consultar en www.virusmyth.net/aids/data/srlabrat.htm, colgado el 15 de diciembre de 2005.

3. Niels Bohr, *Atomic Physics and Human Knowledge* (John Wiley Science Editions, Nueva York, 1961), p. 31. [Hay trad. cast.: *Física atómica y conocimiento humano*, Aguilar, Madrid, 1964.]

Capítulo 1. Por qué una caloría no es una caloría

4. Mary Kate Norton, «Men Are Pigs», *The Daily Californian*, 25 de julio de 2000, p. 3.

5. Vladimir Nabokov, *Ada* (McGraw-Hill, Nueva York, 1969), p. 154. [Hay trad. cast.: *Ada o el ardor*, Anagrama, Barcelona, 1990/2003.]

6. Comentario de Marion Nestle durante el espacio «Table for Twelve», del programa *On the Media* (WNYC), 22 de abril de 2005. Transcripción en www.onthemedia.org/transcripts/transcripts_042205_food.html, consultado el 5 de enero de 2005.

7. Gaku Homma, *The Folk Art of Japanese Country Cooking* (North Atlantic Books, Berkeley, California, 1991), p. 21.

8. Jonathan Kauffman, «A Star Is Stewed», *East Bay Express*, 6 de octubre de 2004. Enwww.eastbayexpress.com/Issues/2004-10 06/dining/food_print.html, colgado el 9 de diciembre de 2005.

9. Elizabeth D. Capaldi, «Conditioned Food Preferences», en Elizabeth D. Capaldi, ed., *Why We Eat What We Eat: The Psychology of Eating* (American Psychological Association, Washington D.C., 1996).

Capítulo 2. El caso de la falta de apetito

10. Margaret Webb Pressler, «Low-carb fad fades, and Atkins is big loser», *The Washington Post*, 2 de agosto de 2005, Ao1.

11. Para saber más sobre mi autoexperimentación para perder peso, véase Seth Roberts, «Self-experimentation as a Source of New Ideas: Ten Examples About Sleep, Mood, Health, and Weight», *Behavioral and Brain Sciences* nº 27 (2), abril 2004, pp. 227-288. Puede consultarse en repositories.cdlib.org/postprints/ 117.

12. Basado en la investigación de Elizabeth D. Capaldi, «Conditioned Food Preferences», en Elizabeth D. Capaldi, ed., *Why We Eat What We Eat: The Psychology of Eating* (American Psychological Association, Washington D.C, 1996). La cita está en la página 67.

13. Walter C. Willett y cols., «Mediterranean Diet Pyramid: A Cultural Model for Healthy Eating», *American Journal of Clinical Nutrition* 61, supl. 6, junio de 1995, pp. 1402S-1406S. Capítulo 4 de *Eat, Drink and Be Healthy: The Harvard Medical School Guide to Healthy Eating* (Simon & Schuster, Nueva York, 2002), de Walter Willett, describe otras razones para pensar que el aceite de oliva es saludable.

14. Por ejemplo, véase Jules Hirsch, Lisa C. Hudgins, Rudolph L. Leibel y Michael Rosenbaum, «Diet Composition and Energy Balance in Humans», *American Journal of Clinical Nutrition* 67, supl. 3, 1998, pp. 551S-555S.

15. Malcolm Gladwell, «The Pima Paradox», *The New Yorker*, 2 de febrero de 1998.www.gladwell.com/1998/1998_02_ 02_a_pima. htm, consultado el 27 de enero de 2006.

16. Gina Kolata, «Diet and Lose Weight? Scientist Say "Prove It!", *The New York Times*, 4 de enero de 2005.

Capítulo 4. Cómo seguir la dieta Shangri-La

17. Emily Jones, «Another Venture into La La Land», *Starkville Daily News*, 16 de noviembre de 2005. En http://starkvilledaily-news.com/articles/2005/11/16/news/lifestyles/lifestyles02. Consultado el 21 de noviembre de 2005.

18. http://CalorieLab blog/#comment-743 (Leftblanc, colgado el 25 de noviembre de 2005), consultado el 25 de noviembre de 2005.

19. Karen Ackroff, Khalid Touzani, Tatanisha K. Peets y Anthony Sclafani, «Flavor preferences conditioned by intragastric fructose and glucose: Differences in reinforcement potency», *Physiology & Behavior* n° 72 (5), abril de 2001, pp. 691-703.

20. *Blog* de Annie (Splow27), consultado el 20 de noviembre de 2005.

21. *Blog* de Annie (Leftblanc, colgado el 14 de octubre de 2005), consultado el23 de noviembre de 2005.

22. Entrevista a Paul Rozin, 7 de noviembre de 2005.

23. Paul Rozin, Jonathan Haidt y Clark R. McCauley, *Disgust: Handbook of Emotions,* 2ª ed. (Guilford, Nueva York, 2000).

24. CalorieLab blog/#comment-690 (Laura lo colgó el 17 de noviembre de 2005), consultado el 21 de noviembre de 2005.

25. Daniel Kahneman y Jackie S. Snell, «Predicting a Changing Taste: Do People Know What They Will Like?», *Journal of Behavioral Decision Making* nº 5 (3), julio-septiembre, 1992, pp. 187-200.

26. Conversación con DD, 2 de noviembre de 2005.

27. Entrevista a William Jacobs, 21 de noviembre de 2005.

28. Mattias B. Schulze y cols., «Sugar-sweetened Beverages, Weight Gain, and Incidence of Type 2 Diabetes in Young and Middle-aged Women, *Journal of the American Medical Association,* nº 292, 2004, pp. 927-934.

29. Walter C. Willett, *Eat, Drink, and Be Healthy* (Simon & Schuster, Nueva York, 2001), p. 56.

30. Michel de Lorgeril y cols., «Mediterranean Diet, Traditional Risck Factors, and the Rate of Cardiovascular Complications After Myocardial Infarction: Final Report of the Lyon Diet Heart Study», *Circulation,* nº 99 (6), 16 de febrero de 1999, pp. 779-785.

31. Elizabeth D. Capaldi y cols., «Conditioned Flavor Preferences Based on Delayed Caloric Consequences», *Journal of Experi-*

mental Psychology: Animal Behavior Processes, n° 13 (2), abril, 1987, pp. 150-155.

32. Robert A. Boakes y Todd Lubart, «Enhanced Preference for a Flavor Following Reversed Flavour/Glucose Pairing», *Quarterly Journal of Experimental Psychology B: Comparative and Physiological Psychology*, n°40 (1, sec. B), febrero de 1988, pp. 4862.

33. *Blog* de Annie (Masa'il, colgado el 3 de octubre de 2005), consultado el 21 de noviembre de 2005.

34. www.chowhound.com/boards/notfood/messages/64541. html (Adfasf, colgado el 16 de noviembre de 2005), consultado el 10 de noviembre de 2005.

35. www.freakonomics.com/blog/2005/09/09/freakonomics-in-the-ny-times-the-shangri-la-diet/#comments (Jnyc, colgado el 18 de septiembre de 2005), consultado el 19 de noviembre de 2005.

36. www.freakonomics.com/blog/2005/09/09/freakonomics-in-the-ny-times-the-shangri-la-diet/#comments (Anónimo, colgado el 20 de septiembre de 2005), consultado el 21 de noviembre de 2005.

37. CalorieLab blog/#comment-743 (Leftblanc, colgado el 25 de noviembre de 2005), consultado el 25 de noviembre de 2005.

38. *Blog* de Annie (Molly, colgado el 1 de octubre de 2005), consultado el 21 de noviembre de 2005.

39. E-mail de RJ, 18 de noviembre de 2005.

40. E-mail de RJ, 18 de noviembre de 2005.

41. Entrevista a DD, 8 de noviembre de 2005.

42. CalorieLab blog/#comment-743 (Leftblanc, colgado el 25 de noviembre de 2005, consultado el 25 de noviembre de 2005.

43. *Blog* de Annie (Masa'il, colgado el 30 de septiembre de 2005), consultado el 23 de noviembre de 2005.

44. CalorieLab blog/#comment-688 (Stokely, colgado el 16 de noviembre de 2005), consultado el 21 de noviembre de 2005.

Capítulo 5. Preguntas comunes

45. Elizabeth D. Capaldi, «Conditioned Food Preferences», en E. D. Capaldi, ed., *Why We Eat What We Eat: The Psychology of Eating* (American Psychological Association, Washington DC, 1996).

46. Entrevista con Norman Temple el 26 de octubre de 2005.

47. «Type 2 Diabetes and Obesity: A Heavy Burden», informe de *Diabetes UK*, marzo de 2005. En www.diabetes.org.uk/infocentre/reports/obesity_0305.doc, consultado el 27 de nov. de 2005.

48. Walter C. Willett, *Eat, Drink, and Be Healthy* (Simon & Schuster, Nueva York, 2001), p. 36.

49. Jaakko Tuomilehto y cols., «Prevention of Type 2 Diabetes Mellitus by Changes in Lifestyle among Subjects with Impaired

Glucose Tolerance», *New England Journal of Medicine*, n° 344, 2001, pp. 1343-1350.

Intervalo: En Shangri-La

50. James Hilton, *Lost Horizon* (William Morrow, Nueva York, 1933), p. 142. [Hay trad. cast.: *Horizontes perdidos*, Plaza & Janés, Barcelona, 1972/1993.]

51. Conversación con DD, 8 de noviembre de 2005.

52. Conversación con CM, 1 de octubre de 2005.

53. Conversación con DD, 8 de noviembre de 2005.

54. Conversación con CM, 2 de noviembre de 2005.

55. E-mail de DS, 14 de noviembre de 2005.

56. www.chowhound.com/boards/notfood/messages/64520. html (Laura, colgado el 14 de noviembre de 2005), consultado el 19 de noviembre de 2005.

57. E-mail de LJ, 12 de agosto de 2005.

58. groups.expo.st/art/rec.sport.swimming/5257 (Martin S., colgado el 27 de septiembre de 2005), consultado el 16 de noviembre de 2005.

59. *Blog* de Annie (Leftblanc, colgado el 30 de septiembre de 2005), consultado el 19 de noviembre de 2005.

60. Conversación con CM, 2 de noviembre de 2005.

61. *Blog* de Annie (Zencefil, colgado el 16 de octubre de 2005), consultado el 19 de noviembre de 2005.

62. *Blog* de Annie (De Benci, colgado el 15 de noviembre de 2005), consultado el 19 de noviembre de 2005.

63. Conversación con SC, el 15 de diciembre de 2005.

64. Conversación con CW, 16 de noviembre de 2005.

65. Conversación con BH, 6 de diciembre de 2005.

66. *Blog* de Annie (Molly, colgado el 5 de octubre de 2005), consultado el 19 de noviembre de 2005.

67. *Blog* de Annie (SFD, colgado el 15 de noviembre de 2005), consultado el 19 de noviembre de 2005.

68. *Blog* de Annie (Masa'il, colgado el 30 de septiembre de 2005), consultado el 6 de diciembre de 2005.

69. www.freakonomics.com/blog/2005/09/09freakonomics-in-the-ny-times-the-shangri-la-diet/#comments (anónimo, colgado el 20 de septiembre de 2005), consultado el 19 de noviembre de 2005.

70. www.freakonomics.com/blog/2005/09/09freakonomics-in-the-ny-times-the-shangri-la-diet/#comments (Jnyc, colgado el 18 de septiembre de 2005), consultado el 19 de noviembre de 2005.

71. www.freakonomics.com/blog/2005/09/15/seth-roberts-on-acne-guest-blog-pt-iv/#comments (David Z., colgado el 14 de octubre de 2005), consultado el 19 de noviembre de 2005.

72. CalorieLab blog/#comment-730 (Tina, colgado el 22 de noviembre de 2005), consultado el 22 de noviembre de 2005.

73. CalorieLab blog/#comment-743 (Leftblanc, colgado el 25 de noviembre de 2005), consultado el 25 de noviembre de 2005.

74. *Blog* de Annie (SFC, colgado el 15 de noviembre de 2005), consultado el 19 de noviembre de 2005.

75. E-mail de RJ, 18 de noviembre de 2005.

76. Conversación con JC, 25 de octubre de 2005.

77. CalorieLab blog/#comment-737 (Leftblanc, colgado el 25 de noviembre de 2005), consultado el 23 de noviembre de 2005.

78. CalorieLab blog/#comment-704 (Linnie, colgado el 19 de noviembre de 2005).

79. *Blog* de Annie (Leftblanc, colgado el 30 de septiembre de 2005), consultado el 10 de diciembre de 2005.

80. E-mail de MS, 27 de octubre de 2005.

81. *Blog* de Annie (Molly, colgado el 30 de septiembre de 2005), consultado el 22 de noviembre de 2005.

82. Conversación con DS, 22 de noviembre de 2005.

83. CalorieLab blog/#comment-730 (Tina, colgado el 22 de noviembre de 2005), consultado el 22 de noviembre de 2005.

84. *Blog* de Annie (Rena, colgado el 5 de diciembre de 2005), consultado el 10 de diciembre.

85. *Blog* de Annie (Emily, colgado el 8 de diciembre de 2005), consultado el 11 de diciembre de 2005.

86. Conversación con DD, 8 de noviembre de 2005.

87. Conversación con CM, 1 de octubre de 2005.

88. Conversación con DD, 10 de octubre de 2005.

Capítulo 6. Crédito extra: seis formas más de perder peso

89. *Blog* de Annie (Leftblanc, colgado el 23 de noviembre de 2005), consultado el 23 de noviembre de 2005.

90. Mireille Guiliano, *French Women Don't Get Fat*, (Knopf, Nueva York, 2004), p. 5. [Hay trad. cast.: *Las francesas no engordan*, Ediciones B, Barcelona, 2006, y catalana: *Les franceses no s'engreixen*, RBA Libros, Barcelona, 2006.]

91. Dorie Greenspan, autora de *Paris Sweets*, entrevistada en *To the Best of Our Knowledge*, 15 de febrero de 2004. Disponible en

www.wpr.org/book/030209a.html, consultado el 10 de diciembre de 2005.

92. CalorieLab blog/#comment-684, consultado el 10 de dic. de 2005.

93. David L. Katz, *The Flavor Point Diet* (Rodale, Nueva York, 2005).

94. *Blog* de Annie (Jennifer, colgado el 20 de noviembre de 2005), consultado el 20 de noviembre de 2005.

95. Arthur Agatston, *The South Beach Diet* (Rodale Books, Nueva York, 2003), p. 43. [Hay trad. cast.: *La dieta South Beach*, Barcelona, Grijalbo, 2005.]

96. Susan Sheehan, «Ain't No Middle Class», *The New Yorker*, 11 de diciembre de 1995, pp. 82-92.

97. Jill Climent, *Half a Life* (Crown, Nueva York, 1996), p. 131.

98. Ed Pope, «New Burger in Town», *San Jose Mercury News*, 7 de septiembre de 1996, 1A.

99. Entrevista a William Jacobs, 21 de noviembre de 2005.

100. Alan R. Hirsch y Mary Beth Gallant-Shean, «Use of Tastants to Facilitate Weight Loss», conferencia presentada en el tercer meeting anual de la American Society of Bariatric Physicians, 2004.

101. Tiene un nombre curioso: *compatibilidad alimentaria*. Reglas típicas de combinar alimentos, www.internethealthlibrary. com/Diet-

landLifestyle/Food_comining.htm consultado el 20 de nov.de 2005.

102. Conversación con AF, 20 de noviembre de 2005.

103. Jennie Brand-Miller, Thomas M. S. Wolever, Kaye Foster-Powell y Stephen Colagiuri, *The New Glucose Revolution*, ed. rev. (Marlowe & Company, Nueva York, 2003).

104. *Blog* de Annie (Sarah, colgado el 30 de septiembre de 2005), consultado el 21 de noviembre de 2005.

105. timothybeneke.blogspot.com/2005/09/taste-celibacy.html, consultado el 19 de noviembre de 2005.

Intervalo: La Blogosfera hace la prueba

106. Stephen J. Dubner y Steven D. Levitt, «Does the Truth Lie Within?», *The New York Times Magazine* (11 de septiembre de 2005), pp. 20-22. Disponible en www.sethroberts.net, consultado el 16 de diciembre de 2005.

107. www.freakonomics.com/blog/2005/09/13/seth-roberts-guest-blogger-part-ii (Hal, colgado el 13 de septiembre de 2005), consultado el 4 de enero de 2006.

108. www.freakonomics.com/blog/2005/09/13/seth-roberts-guest-blogger-part-ii (Velopismo, colgado el 14 de septiembre de 2005), consultado el 4 de enero de 2006.

109. www.freakonomics.com/blog/2005/09/13/seth-roberts-guest-blogger-part-ii (Molly, colgado el 15 de septiembre de 2005), consultado el 4 de enero de 2006.

110. www.freakonomics.com/blog/2005/09/18/final-guest-blog-from-seth-roberts (anónimo, colgado el 20 de septiembre de 2005), consultado el 27 de enero de 2006.

111. www.freakonomics.com/blog/2005/09/16/seth-roberts-guest-blogger-finale (anónimo, colgado el 21 de septiembre de 2005), consultado el 27 de enero de 2006.

112. www.freakonomics.com/blog/2005/09/18/final-guest-blog-from-seth-roberts (Molly, colgado el 22 de septiembre de 2005), consultado el 27 de enero de 2006.

113. www.freakonomics.com/blog/2005/09/15/seth-roberts-on-acne-guest-blogger-part-iv (David Z., colgado el 14 de octubre de 2005), consultado el 4 de enero de 2006.

114. www.freakonomics.com/blog/2005/09/18/final-guest-blog-from-seth-roberts (Bonnie, colgado el 22 de septiembre de 2005), consultado el 4 de enero de 2006.

115. www.freakonomics.com/blog/2005/09/09/freakonomics-in-the-ny-times-the-shangri-la-diet (anónimo, colgado el 30 de septiembre de 2005), consultado el 27 de enero de 2006.

116. www.freakonomics.com/blog/2005/09/14/seth-roberts-guest-blogger-part-iii (Bill Q., colgado el 15 de septiembre de 2005), consultado el 4 de enero de 2006.

117. *Blog* de Annie (muchos comentarios), consultado el 27 de enero de 2006. «Creo que puedo»: colgado el 15 de noviembre de 2005.

118. *Blog* de Annie (muchos comentarios), consultado el 27 de enero de 2006. «Es muy interesante», colgado el 11 de noviembre de 2005.

119. *Blog* de Annie (muchos comentarios), consultado el 27 de enero de 2006. «Dejé de beber el», colgado el 13 de noviembre de 2005.

120. *Blog* de Annie (muchos comentarios), consultado el 27 de enero de 2006.

121. *Blog* de Annie (muchos comentarios), consultado el 27 de enero de 2006. «Irremplazable hasta el momento», colgado el 1 de diciembre de 2005.

122. *Blog* de Annie (muchos comentarios), consultado el 27 de enero de 2006. «Ahora tengo preferencia por la buena comida», colgado el 21 de octubre de 2005.

123. *Blog* de Annie (muchos comentarios), consultado el 27 de enero de 2006. «¡Caray, esta dieta me hace», colgado el 4 de octubre de 2005. «Todo lo que pensaba», colgado el 3 de diciembre de 2005. «He perdido 6 kilos», colgado el 3 de diciembre de 2005. «es muy útil», colgado el 1 de diciembre de 2005.

124. *Blog* de Annie (muchos comentarios), consultado el 27 de enero de 2006. «haciendo la dieta durante casi», colgado el 29 de septiembre de 2005.

125. *Blog* de Annie (muchos comentarios), consultado el 27 de enero de 2006. «Esto ha sido casi sin esfuerzo», colgado el 15 de noviembre de 2005.

126. *Blog* de Annie (Masa'il, colgado el 20 de noviembre de 2005), consultado el 27 de enero de 2006.

127. *Blog* de Annie (Robert F., colgado el 28 de noviembre de 2005), consultado el 27 de enero de 2006.

128. *Blog* de Annie (colgado el 2 de diciembre de 2005), consultado el 27 de enero de 2006.

129. CalorieLab blog (colgado el 21 de septiembre de 2005), consultado el 27 de enero de 2006.

130. CalorieLab blog/#comment-382 (Paul T., colgado el 27 de septiembre de 2005), consultado el 4 de enero de 2006.

131. CalorieLab blog/#comment-382 (Paul T., colgado el 6 de octubre de 2005), consultado el 5 de enero de 2006.

132. CalorieLab blog/#comment-263 (Jill, colgado el 29 de septiembre de 2005), consultado el 5 de enero de 2006.

133. CalorieLab blog/#comment-393 (Alice H., colgado el 7 de octubre de 2005), consultado el 5 de enero de 2006.

134. CalorieLab blog/#comment-436 (David Z., colgado el 14 de octubre de 2005), consultado el 5 de enero de 2006.

135. CalorieLab blog/#comment-461 (Neema, colgado el 18 de octubre de 2005), consultado el 5 de enero de 2006.

136. CalorieLab blog/#comment-695 (Carmen, colgado el 18 de noviembre de 2005), consultado el 5 de enero de 2006.

137. CalorieLab blog/#comment-730 (Tina, colgado el 22 de noviembre de 2005), consultado el 5 de enero de 2006.

138. CalorieLab blog/#comment-737 (Leftblanc, colgado el 23 de noviembre de 2005), consultado el 5 de enero de 2006.

139. CalorieLab blog/#comment-743 (Leftblanc, colgado el 25 de noviembre de 2005), consultado el 5 de enero de 2006.

140. CalorieLab blog/#comment-757 (Stephen M [Ethesis], colgado el 28 de noviembre de 2005), consultado el 5 de enero de 2006.

141. CalorieLab blog/#comment-758 (Cheryl, colgado el 29 de noviembre de 2005), consultado el 5 de enero de 2006.

142. CalorieLab blog/#comment-1151 (Imtiaz, colgado el 23 de diciembre de 2005), consultado el 5 de enero de 2006.

Capítulo 7. Cambiar el resto del mundo

143. Khaled Hosseni, charla en la Universidad George Mason, Fairfax, Virginia, 20 de septiembre de 2005 (emitido en C-Span-2).

144. Diana Vreeland, www.fashionwindows.com/room_service/2001/visionaire.asp, consultado el 30 de noviembre de 2005.

145. Inas Rashad y Michael Grossman, «The Economics of Obesity», *The Public Interest*, n° 156, verano de 2004, pp. 104-112.

146. Kelly Brownell y Katherine Battle Horgan, *Food Fight* (McGraw-Hill, Nueva York, 2004), pp. 35-40.

147. David M. Cutler, Edward L. Glaeser y Jesse M. Shapiro, «Why Have Americans Become More Obese?», Documento de trabajo 9446 (National Bureau of Economic Research, Washington DC, 2003). Disponible en www.nber.org/papers/w9446. Este documento también contiene las mediciones de la actividad general que contradicen la idea de que la epidemia de obesidad viene provocada por un descenso en la actividad.

148. Walter C. Willett, «Dietary Fat Plays a Major Role in Obesity?: No», *Obesity Reviews*, n° 3, 2002, pp. 59-60.

149. David M. Cutler y cols., «Why Have Americans Become More Obese?». Véase tabla 4.

150.1, 150.2. Inas Rashad, Michael Grossman y Shin-Yi Chou, «The Super Size of America: An Economic Estimation of Body Mass Index and Obesity in Adults», documento de trabajo 11584 (National Bureau of Economic Research, Washington DC, 2003). Disponible en www.nber.org/papers/ w11584. Los valores para 1962 y 1967 fueron calculados a partir del Censo de Negocios de Estados Unidos suponiendo que la fracción de establecimientos de comida que son restaurantes (tanto de servicio completo como de comida para llevar) era el mismo en las encuestas de 1962 y 1967 que en la de 1972, que proporcionaba un desglose más detallado.

151. David M. Cutler y cols., «Why Have Americans Become More Obese?». Véase tabla 4.

152. D. M. Cutler y cols., «Why Have Americans Become More Obese?»

153. Entrevista a Antonia Demas, 1 de noviembre de 2005.

154. Tetsuko Kuroyanagi, *Totto-Chan: The Little Girl at the Window*, traducción de Dorothy Britton (Kodansha International, Tokio, 1982). «El primer premio... espinacas»: p. 109. «Que vuestras madres... sabrán de maravilla!»: pp. 109-110. «Tenía razón»: p. 110.

155. Nota de prensa, 12 de septiembre de 2005, disponible en www.cargill.com/news/news_releases/050912_sucromalt.htm, consultado el 30 de noviembre de 2005.

Apéndice: La base científica de la teoría de la dieta

156. *Blog* de Annie (Jennifer, colgado el 18 de noviembre de 2005), consultado el 2 de diciembre de 2005.

157. *Blog* de Annie (Leftblanc, colgado el 23 de noviembre de 2005), consultado el 2 de diciembre de 2005.

158. Fragmento de *Good Morning America*, 14 de noviembre de 2005.

159. G. C. Kennedy, «The Hypothalamic Control of Food Intake in Rats», *Proceedings of the Royal Society of London*, Serie B; contiene artículos de carácter biológico, n° 137 (889), noviembre de 1950, pp. 535-549.

160. Stephen C. Woods, Michael W. Schwartz, Denis G. Baskin y Randy J. Seeley, «Food Intake and the regulation of body weight», *Annual Review of Psychology*, n° 51, 2000, pp. 255-277.

161. Entrevista a Michel Cabanac, 28 de octubre de 2005.

162. M. Cabanac, R. Duclaux y N. H. Spector, «Sensory Feedback in Regulation of Body Weight: Is There a Ponderostat», *Nature*, n° 229 (5280), 8 de enero de 1971, pp. 125-127.

163. www.freakonomics.com/blog/2005/09/09/freakonomics-in-the-ny-times-the-shangri-la-diet/#comments (Jnyc, colgado el 18 de septiembre de 2005), consultado el 27 de enero de 2006.

164. www.freakonomics.com/blog/2005/09/09/freakonomics-in-the-ny-times-the-shangri-la-diet/#comments (anónimo, colgado el 20 de septiembre de 2005), consultado el 27 de enero de 2006.

165. M. Cabanac y E. F. Rabe, «Influence of a Monotonous Food on Body Weight Regulation in Humans», *Physiology & Behavior*, n° 17 (4), octubre de 1976, pp. 675-678.

166. Marc Fantino, «Effet de l'alimentation intragastrique au long cours chez l'homme», *Journal de Physiologie*, n° 72, 1976, 86A.

167. Entrevista a Anthony Sclafani, 11 de noviembre de 2005.

168. Anthony Sclafani y Deleri Springer, «Dietary Obesity in Adult Rats: Similarities to Hypothalamic and Human Obesity Sindromes», *Physiology & Behavior*, n° 17, 1976, pp. 461-471.

169. Anthony Sclafani y cols., «Sex Differences in Polysaccharide and Sugar Preferences in Rats», *Neuroscience and Biobehavioral Reviews*, n° 11 (2), verano de 1987, pp. 241-251.

170. Anthony Sclafani y Jeffrey W. Nissenbaum, «Robust Conditioned Flavor Preference Produced by Intragastric Starch Infusions in Rats», *American Journal of Physiology–Regulatory, and Integrative Comparative Physiology*, n° 24, 1998, R672-R675.

171. Anthony Sclafani, «How Food Preferences Are Learned: Laboratory Animal Models», *Proceedings of the Nutrition Society*, n° 54, 1995, pp. 419-427.

172. Entrevista a Israel Ramirez, 27 de octubre de 2005.

173. Israel Ramirez, «When Does Sucrosa Increase Appetite and Adiposity?», *Appetite*, n° 9, 1987, pp. 1-19.

174. Israel Ramirez, «Diet Texture, Moisture and Starch Type in Dietary Obesity», *Physiology & Behavior*, n° 41, 1987, pp. 149-154.

175. Israel Ramirez, «Stimulation of Energy Intake and Growth by Saccharin in Rats», *Journal of Nutrition*, n° 120, 1990, pp. 123-133. «La primera prueba», p. 132.